상위 20% 내 아이,
자사고, 외고, 국제고 보내기

상위 20% 내 아이, 자사고, 외고, 특목고 보내기

발 행 | 2024년 03월 06일
저 자 | 최윤성
펴낸이 | 한건희
펴낸곳 | 주식회사 부크크
출판사등록 | 2014.07.15.(제2014-16호)
주 소 | 서울특별시 금천구 가산디지털1로 119 SK트윈타워 A동 305호
전 화 | 1670-8316
이메일 | info@bookk.co.kr

ISBN | 979-11-410-7531-6

www.bookk.co.kr

상위 20% 내 아이,
자사고, 외고, 국제고
보내기

지은이 최 윤 성

| 목차 |

들어가기
- 학부모님의 입시에 대한 이해 ······ 6
- 왜 상위 20%만 되어도 자사고, 외고, 국제고에 갈 수 있나? ······ 9

1. 자사고, 외고, 국제고 진학 결심
- 자사고 준비 시기 ······ 13
- 자사고 진학의지 만들기 ······ 15
- 자사고, 외고, 국제고 선택이유 ······ 17
- 자사고 선택과 준비의 시작 ······ 22
- 주요 자사고의 특성과 차이 ······ 25
- 자사고 자기주도전형 준비 ······ 29

2. 학교생활기록부 분석 과정
- 왜 학교생활기록부를 분석해야 하나? ······ 34
- 고입 교과 항목 분석의 포인트 : 지원가능 성적 ······ 38
- 고입 비교과 항목 분석의 포인트 : 자율활동과 봉사활동 ······ 40
- 고입 비교과 항목 분석의 포인트 : 독서활동 ······ 42
- 고입 비교과 항목 분석의 포인트 : 자유학년제 활동 ······ 43
- 고입 비교과 항목 분석의 포인트 : 세특 활동 ······ 44
- 부족한 학교생활기록부와 자사고 합격 간의 관계 ······ 46
- 평범한 학교커리큘럼으로 합격하는 법 ······ 48
- 진로목표 결정이 어려운 이유와 결정방법 ······ 51

3. 진로컨셉주제와 진로로드맵
- 왜 자사고 합격과 불합격이 갈라지는가? ······ 56
- 진로 로드맵이란 무엇인가? ······ 59
- 독서활동의 중요성과 과정 ······ 62

4. 자기소개서

- 자기소개서가 왜 중요한가? ······ 67
- 영재고, 과학고 자기소개서 특징 ······ 73

5. 면접 준비

- 면접을 위해 컨설팅이 필요한가? ······ 76
- 자사고 면접 문항 종류 ······ 80
- 자사고 면접 준비 핵심팁 ······ 82
- 면접 경쟁의 본질은 상대평가 ······ 85

6. 자사고 등 합격사례

- 합격사례 : 2024학년도 용인외대부고 합격 ······ 91
- 합격사례 : 2024학년도 안양외고 합격 ······ 98
- 합격사례 : 2024학년도 과천외고 합격 ······ 101
- 합격사례 : 2023학년도 용인외대부고 합격 ······ 108
- 합격사례 : 2023학년도 수원외고 합격 ······ 114
- 합격사례 : 2023학년도 전주상산고 합격 ······ 120
- 합격사례 : 2022학년도 용인외대부고 합격 ······ 127
- 합격사례 : 2021학년도 경기외고 합격 ······ 134
- 합격사례 : 2020학년도 안양외고 합격 ······ 138
- 합격사례 : 2020학년도 경기외고 합격 ······ 143

7. 자사고, 외고, 국제고 합격비결

- 자사고, 외고, 국제고 합격비결1 : 입시는 전문가와 ······ 147
- 자사고, 외고, 국제고 합격비결2 : 학습역량 통합확장 ······ 153
- 자사고, 외고, 국제고 합격비결3 : 진로로드맵 작성 ······ 158
- 자사고, 외고, 국제고 합격비결4 : 자기소개서 작성과 첨삭 ······ 161
- 자사고, 외고, 국제고 합격비결5 : 면접 ······ 167

나오며 : 입시성공에 가장 중요하신 분_학부모님 ······ 174

부록 : 실전 도움 받으시는 방법 ······ 179

들어가기

학부모님의 입시에 대한 이해

오래 입시현장에서 있으면서 놀랍게도 '학부모님의 고입전형에 대한 명확한 이해'가 학생의 진학에 가장 큰 영향을 미친다는 것을 알게 되었습니다.

대부분 학생, 학교, 학원 등의 중요성은 많이 알고 있고 굉장히 강조하지만 학부모님의 중요성은 잘 알지 못하고 있습니다.

이 책은 그런 의미에서 학부모님들을 위한 책입니다.

정보의 홍수 속에서 어떤 정보가 좋은 정보인지 고민되실 겁니다. 정확하게 좋은 정보를 찾아 효율적으로 진학에 성공하는 것을 원하실 겁니다. 그것을 위한 책입니다.

합격에 핵심이 아닌 것을 핵심인 것처럼 가르치는 곳이 많습니다. 입시와 같이 모두 열심히 준비하는 경쟁에서 이런 잘못된 정보는 치명적입니다.

그동안 자사고, 외고, 국제고는 높은 대입 진학률을 기록했습니다. 또 앞으로 고교학점제와 더불어 더욱 각광 받을 것으로 예상됩니다. 그래서 매년 합격할 때마다 한 학생, 한 학생의 기쁨이 온전히 전해지는 보람 있는 학교입니다.

그런 학교이기에 세상 사람들에게 이용도 많이 당합니다. 반드시 국어, 영어, 수학 선행이나 고액 강의를 들어야 합격하는 것처럼 이끌기도 하고, 학생들을 모아서 양산형으로 강의하며 쉽게 합격을 보장하기도 합니다.

하지만 제가 매년 합격을 시켜보니 전문가와 함께 적절한 진로 학습을 통해 어느 자사고, 외고, 국제고든 합격할 수 있다는 확신이 들었습니다. 누구든 원한다면 그것에 맞는 노력을 통해 합격할 수 있습니다.

책의 내용을 늘리기 어려울 정도로 자사고 등에 합격하는 핵심은 길지 않으며 책으로 표현 못하는 디테일이 오히려 중요합니다.

하지만 기존의 여러 책과 일부 교육계에서는 오히려 핵심을 길고 어렵게 설명하고 디테일은 생략하며 선행과 심화반복식으로 자사고 입시를 왜곡하며 많은 오해를 낳고 이용하고 있습니다.

그래서 10여년간 교육컨설턴트로 활동하며 꾸준히 블로그에 합격 노하우에 관한 글을 적어 이를 고쳐왔고 이번에 관련된 글을 잘 모아서 목차와 내용등을 수정, 보완하여 글을 쓰게 되었습니다.

간편하게 읽어보시고 자사고 등에 대한 기본적인 이해를 높이셨으면 좋겠습니다. 중요한 것은 자사고, 외고, 특목고 등은 학부모님의 좋은 안목과 좋은 조언자만 있으면 그리 어려운 입시 과정이 아니라는 것입니다.

반드시 도전하시기 바랍니다. 새로운 가능성은 열려 있습니다.

이 책은 자기소개서와 면접이 있는 모든 자기주도전형에 적용될 수 있기에 그 외에도 과학고, 영재고, IT관련 특성화고 등 자기소개서와 면접이 입학에 적용되는 학교를 지원하시는 분께도 좋은 영감을 드릴 수 있다고 생각합니다.

왜 상위 20%만 되어도 자사고, 외고, 국제고에 갈 수 있나?

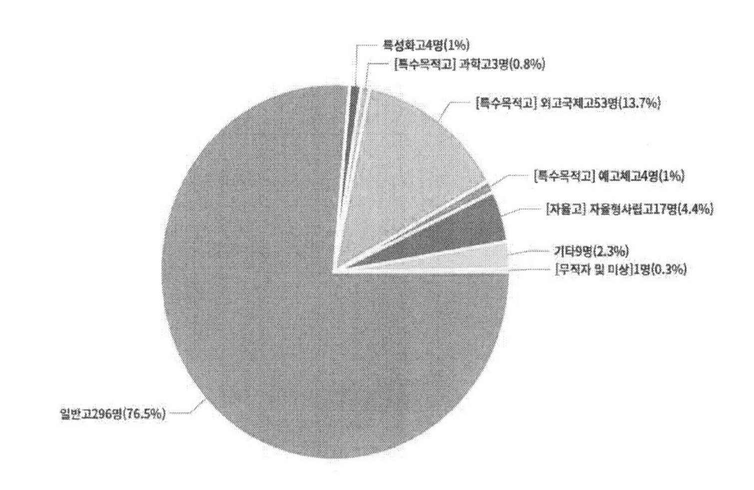

출처 : 공공공개 학교알리미_평촌 G중학교 2023학년도 졸업생진로현황

위 표는 학교알리미에 나온 경기도 최정상 학군지인 G중학교의 자사고, 외고, 국제고 등 졸업생 진학 실적입니다. 자사고 등에 졸업 인원의 거의 20%에 달할 정도로 합격을 하고 있는 것을 보실 수 있으실 겁니다. 경기도 다른 지역의 학교 중 1~5% 수준인 곳도 많은데요. 이 차이가 생겨나는 이유는 무엇일까요?

물론 경기도 최정상 학군지의 학교라서 투자나 교육인프라가 좋은 이유도 있습니다. 하지만 실제 교과목 평점 비율 등이 모든 중학교가 비슷하다고 가정한다면, 전국 어떤 학교에서도 이 학교처럼 적절한 준비만 한다면 현재 20% 정도여도 충분히 자사고, 외고, 국제고에 입학할 수 있다는 것을 의미합니다.

비결은 적극적인 학생의 자사고 지원과 준비입니다.

그렇다면 과연 자사고, 외고, 국제고는 선행,심화학습을 해야 갈 수 있을까요?

절대 그렇지 않습니다!!!

실상 주요 자사고의 경우 예년의 흐름과 경쟁률을 따라가기에 단정할 수는 없지만 일부 소수 자사고를 제외하고는 대부분의 학교에서 중2, 중3 전과목 A가 아니어도 됩니다.

게다가 외고의 경우, 반영 교과목이 영어, 국어, 사회 과목으로 제한되어 있어서 과학, 수학에서 C, D등으로 성적이 낮아도 합격할 수 있습니다. 특히 문과, 사회 경향의 학생일 경우 외고, 국제고는 관련 과목 시수와 선택과목이 많아 합격한 후 학제상으로도 유리합니다.

이렇게 현재 성적이 조금 아쉬운 학생들도 꾸준히 같이 준비하여 진로컨셉을 잘 세우고, 자기소개서와 면접을 잘 준비하여 내신 교과 성적 외에도 본인의 잠재력이 우수하다는 것을 보이며 합격하곤 하여 주변을 놀라게 합니다.

이 책을 보시는 여러분께서도 도전하여 좋은 길 열어가셨으면 좋겠습니다. 이 책의 챕터 중 모르셨던 내용 단 한 챕터, 한 페이지만 알게 되셨다면 충분히 이 책의 값을 한 것이라 생각합니다. 그 정도로 이 책은 현 제도상 고입 핵심의 중요한 내용을 담고 있는데요. 책을 가볍게 읽으시되, 내용을 살펴 주시기 바랍니다.

합격사례 등은 진학 노하우가 어떤 식으로 합격에 연결되는지 생각해보시면 더 흥미있게 읽으실 수 있을 겁니다. 바쁘시면 마지막 장을 주의깊게 읽으셔도 됩니다. 10여년간 저와 함께 노력해준 그간 배운 모든 학생들에게 감사함을 전하며 함께 하여 제가 더 많은 것을 배우고 성장했다고 전하고 싶습니다.

자사고, 외고, 국제고 진학 결심

1. 자사고, 외고, 국제고 진학 결심

- 자사고 준비 시기
- 자사고 진학의지 만들기
- 자사고, 외고, 국제고 선택이유
- 자사고 선택과 준비의 시작
- 주요 자사고의 특성과 차이
- 자사고 자기주도전형 준비

자사고 준비 시기

준비의 시기에 관해서 많이들 궁금해하십니다. 물론 일찍 준비할수록 굉장히 유리해지지만 이에 절대적인 답은 없습니다. 다만 준비를 할 수 있는 좋은 시기는 다음과 같습니다.

(1) 진로 목표를 세우고 싶어할 때

학생, 학부모님께서 진학과 진로를 결심하는 시기에 시작하는 경우가 많습니다. 그 이유는 어느 정도 진로에 대해 생각하고 가능성을 객관적으로 판단을 한 후 외고든, 자사고든 목표가 생기면 교과 학습을 포함해서 학습동기가 향상되는 친구들이 많기 때문입니다.

이런 경우 목표가 생기면서 더 열심히 할 때가 많습니다. 이 유형의 학생과 학부모님들의 성과는 상당히 높습니다. 이 때 진로진학 컨설팅은 전체적인 목표의식을 만들어줘서 교과성적 향상에도 큰 영향을 미칩니다. 무엇보다 자기주도전형은 진로목표와 밀접하므로 이때 진로목표를 세우면서 본격적으로 자사고, 외고, 국제고 등 진로 방향에 대해서 알아보시면 좋습니다.

(2) 친구들에 의해 자극받았을 때

또 친구들의 자극에 의해서도 시작됩니다. 무엇을 할지 관심 없던 친구들도 아무리 늦어도 중3 때는 주변에서 친구들이 이런 저런 진학목표를 서로 이야기해서 관심이 생겨납니다. 이 때가 기회라고 볼 수 있는데요. 친구들에게 자극받은 학생들이 자신도 할 마음이 생겼을 때 제대로 도움을 받아 진로학습을 하는 것이 좋습니다.

자사고 진학의지 만들기

용인외대부고, 전주 상산고, 안산 동산고, 북일고 등 수많은 학생들의 진학성공을 보며, 자사고를 진학하기 위한 의지를 만드는 것이 무척 중요하다는 것을 알 수 있었습니다.

어떻게 하면 의지를 다질 수 있을지 알아보도록 하겠습니다.

(1) 목표의식 : 왜 자사고에 가는가?

어떻게 자사고 진학이 그 진로목표의 실현에 도움이 될 지 학생과 학부모님의 확신과 이해가 있어야 합니다. 진로 목표가 명확하고 그 진로목표, 진로계획을 달성하기 위해 그 자사고에 진학해서 준비해야 겠다는 생각을 해야 합니다.

자사고에 입학하여 할 것도 중요하지만 전제는 진로목표, 희망이 있는 것입니다. 무엇보다 학생이 진로에 대해 목표의식, 동기가 확실히 서야 합니다.

(2) 현실필요 : 왜 자사고가 유리한가?

현 입시체제는 정시, 수시 모두 자사고 등에 유리한 구조입니다. 다른 일반고에 비해 우수한 자원이 모여 있기에 정시 수능에서 유리하며, 학교에서 제공하는 커리큘럼, 동아리 등 기본 세팅 등이 다르기 때문에 수시에서도 유리합니다.

물론 우수한 학교에 가서 경쟁에서 뒤처지거나 내신이 떨어질 것을 걱정하실 수도 있습니다. 하지만 내신은 학생부 종합이 가능한 최소 컷을 맞춘다고 생각하고, 비교과를 따로 신경써 채우며 수시를 준비하면 됩니다. 또 친구들과 함께 수능 정시 준비를 병행한다면 효율적으로 공부할 수 있습니다.

게다가 고교학점제를 적용받기 때문에 내신의 변별력이 크게 떨어져 상대적으로 고교학점제 이전의 자사고 진학의 단점이 크게 줄어들게 되어 이점이 굉장히 커집니다.

자사고, 외고, 국제고 선택이유

(1) 존폐 불확실성의 해소

자사고 등은 학교가 가진 그 간의 인프라에 비해서 지금까지의 교육정책상 재지정 취소, 일반고 전환, 기타 불이익 등 불확실성 때문에 과소평가를 받았습니다. 수 년동안 학교들뿐만 아니라 학생들, 학부모님들은 자사고 지정 여부를 두고 교육당국과 대립하며 지정취소의 가능성에 불안해 왔습니다.

하지만 현재 이와 관련해서 불확실성이 완전히 해소되었습니다. 그리고 앞으로 고교학점제 방향으로 입시제도가 운영된다면 이들 자사고 진학이 상당히 메리트가 있다고 널리 공감대가 확산되고 있습니다.

(2) 양질의 시스템과 인프라

자사고, 외고, 국제고는 학교 시스템, 선생님들의 역량, 선후배 동년 친구들의 긍정적인 자극과 학습 모티베이션, 졸업 후의 학연,

그 간 평판 등을 고려했을 때 최적의 선택입니다.

무엇보다 자율성을 강조하기에 입학한 후 비교과활동에서 할 활동들이 많고 결국 내용도 학생 스스로 채워나가야 하지만 동시에 선생님들의 수용력이 좋아서 일반고 학생들처럼 '과연 이 활동을 적어주실까?'하는 고민은 하지 않아도 됩니다.

(3) 고교학점제

고교 학점제로 인해서 기존의 기본 교과목은 5등급제로 변화하고 많은 선택과목이 절대평가화 될 예정입니다.

그래서 학생부 교과전형의 평가기준이었던 교과내신이 유명무실화될 가능성이 커졌습니다. 그 이유는 대부분 인서울 학교의 기준이 40%정도라고 한다면 대부분 현재 4등급이고 이것이 고교학점제 하에서는 2등급으로 수렴되기에 변별력이 사실상 없어지기 때문입니다.

그간 그나마 상대경쟁력이 있던 포인트인 일반고의 내신이 이제는 자사고의 내신 등급과 큰 차이가 없어지고 변별이 불가능하므로, 상대적으로 자사고가 굉장히 유리해지는 것입니다.

즉, 고교학점제 자체만으로도 다양한 프로그램이 있는 자사고가 좋은 인프라로 유리한 상황인데 5등급제로 학생부 교과마저 일반고의 장점이 위태로워지고 사라지니 자사고, 외고, 국제고에 유리한 상황으로 가게 되는 것입니다.

(4) 4차 산업혁명 시기 학문융합 (외고, 국제고)

4차 산업혁명시대는 AI 나 여러 인공지능 등 최신과학기술을 본인의 직업, 진로에 적극 차용하고 이용하는 것을 핵심으로 하고 또 정의됩니다.

그러하기에 진로선택에서 무조건 이과가 유리하고 문과가 불리한 것이 아니며, 어떤 식으로 진로 역량을 펼쳐 나갈 지 우리 학생들에게 적용되는 과정과 모습이 중요합니다.

현재도 이과 강세의 교육환경이지만 문과, 사회계열의 교육적 수

요는 꾸준히 있습니다. 아무리 생명과학분야와 의학계열, IT 계열이 유망할 지라도 국어, 사회, 영어분야 등 분야의 인재가 필요하고 사회적인 수요도 있습니다.

앞으로는 첨단기술을 '어떤 식으로 개별 학문에 조합시키고 융합시키느냐'가 중요한 문제이기에 외고, 국제고 진학 역시 메리트는 여전할 것입니다.

그렇기 때문에 오히려 문과, 사회계열의 진로목표가 명확하거나 혹 현재 중학교 내신상으로 수학, 과학 교과목의 성적이 열세인 경우 외고, 국제고에 입학하여 본인의 특기, 적성을 중심으로 교육받는다면 이전 중학교 때까지 숨겨져 있던 잠재력을 더욱 꽃피울 수도 있습니다.

그런 점에서 아래와 같은 학생들은 더욱 적극적으로 외고, 국제고를 도전하는 것이 좋습니다.

- 어학 쪽에 확실한 적성과 흥미가 있는 학생
- 국제, 법, 정치, 경제, 사회 등 국제사회, 경제계열에 적성이 있는

학생

- 수학, 과학 과목을 상대적으로 잘하지 못하는 학생
- 반드시 어문사회계열이 아니라도 관련 기술융합에 흥미, 적성이 있는 학생

(5) 학제 변화(외고, 국제고)

과거 외국어 인재의 필요성에 의해서 유지되었던 외고는 현재 전체적인 어학 실력의 상승, AI번역 프로그램, 학제의 결합의 추세 속에서 그 존재의미가 약화되고 있습니다. 그래서 경쟁률이 낮아져 왔고 그에 대한 해결책을 적극 모색했습니다.

최근 몇 년 사이에 학제는 필수어학과목으로 조정하기 어려워도, 학생들의 동아리 활동이나 비교과 활동을 통해 정치, 경제, 사회, 경영 등의 학문과의 통섭을 학교측에서 많이 권장하였습니다. 그래서 외고는 선발에서부터 어학뿐만 아니라 다양한 과목과의 연계를 강화했고 어학을 활용하는 사회계열 인재를 육성하는 방향성을 강조했습니다. 최근 외고, 국제고 통합조치는 이러한 현실과 경향을 정례화시키고 확인한 것입니다.

자사고 선택과 준비의 시작

상담을 해보면 처음 자사고, 외고, 국제고 등에 관심이 있더라도 '어떻게 자녀를 준비시켜야 할지' 고민이 많으십니다. 일단 댁에서 어떻게 준비를 시작하고 진행해야 할 지 알려 드리겠습니다. 중요한 것은 아래의 단계를 하나하나 실천하며 넘어가는 것입니다.

(1) 자녀와의 대화: 학생의 직관적인 선호, 성향을 파악한다.

일단 우리 학생, 자녀에 대해서 자세히 알아야 합니다. 무엇이 하고 싶은지, 가장 관심이 가는 것이 무엇인지 우선 물어보고 살펴야겠죠. 게다가 특목고, 자사고, 외고, 국제고는 자기소개서와 면접으로 구성된 자기주도전형으로 진행되기에 1차적으로 본인의 진로 목표가 세워져 있는지가 가장 중요합니다.

이 때는 구체적인 필요는 없고, 일단 포괄적인 방향만 정해져도 무방합니다. '생명과학에 관심이 많다. 법분야와 사회문제해결에 관심이 많다. 의사가 되고 싶다' 정도만 알아도 큰 방향설정이 된 것입니다.

갈 수 있는 학교, 살피는 학교는 현실적인 이유로 몇가지로 좁혀집니다. 관심있는 학교 2~3개를 일단 선정해서 정보를 수집하고, 학생이 가고 싶은 학교들을 정해도 큰 도움이 됩니다. 시작이 중요하고, 기준점이 중요합니다.

(2) 선정 학교의 입시경향 및 가능성을 확인한다.

입시경향은 학교마다 미세한 차이는 있습니다. 하지만 영재고나 과학고 외에는 자기주도전형의 큰 틀을 벗어나지 않기에 대부분 준비과정이나 전형이 비슷합니다.

다만, 학교들마다 1차 내신 컷이 조금 차이가 있고 학교에서 중점적으로 육성하는 인재상이 있기에 대체적인 방향과 가능성은 확인해야 합니다. 그리고 추후 점차 구체화해 나가면서 경우에 따라서 어떤 식으로 진학학교나 목표를 수정할 수 있을지 다양한 진학옵션이나 방법을 모색해야 합니다.

(3) 학생의 진로 컨셉을 정하고 확실히 구체화하고 관련해서 노력

을 기울인다.

가장 중요한 과정이며 입시의 핵심입니다. 학생의 진로컨셉을 정해야 합니다. (1)의 과정이 의사, 법조인 혹은 생명과학분야, 사회문제해결과 같은 추상적인 방향설정이었다면, 이 과정은 해당 직업, 영역 분야를 더 세부적으로 파고들어 구체화하는 것입니다.

이 과정은 단순한 진로목표, 진로희망을 준비하는 것이 아니라 왜 그런 진로목표를 갖게 되었는지 나타내는 과정이며 앞으로 어떤 진로, 삶을 살아갈 것인지 묻는 과정입니다.

이것이 정리가 되어야 실제 그 진로에 대한 관심이 어떻게 학습으로 이어졌는지, 미래의 제대로 된 학습을 위해서 과거와 현재 어떻게 준비해 왔는지 설명하는 것이 가능해집니다. 이후 학생과 함께 진로컨셉을 정하고 진로에 따라 세부적인 project를 하나하나 해가며 준비합니다.

주요 자사고의 특성과 차이

자사고는 자율형 사립고를 의미합니다. 자사고는 크게 선발범위에 따라 전국단위자사고와 광역단위자사고로 나뉩니다. 커리큘럼 등이 일반고와는 달라 학제 편성의 자율성이 훨씬 큽니다.

이들 학교의 전통, 학풍, 인재상은 조금씩 다 다르지만 자기주도형으로 자기소개서, 면접이 선발에 활용되는 점, 준비의 기본원리 등은 동일합니다.

자사고에 해당하는 학교는 다양하지만 각 학교별 준비 패턴은 크게 2가지로 나뉩니다. 이들은 [자기주도전형 학교]와 [자기주도전형과 교과관련 면접이 결합된 학교]로 구분됩니다.

이 때 자기주도부분은 둘 다 겹치니 기본 준비는 동일합니다. 다만 교과관련 면접 부분이 있을 경우 그 해당 분야의 교과 학습을 더 철저히 해야 합니다. 해당 학교에 입학 노하우가 있는 대형 전문학원의 도움이 유용하기도 합니다.

(1) 자사고 등 [자기주도전형 학교]

용인외대부고의 경우, 1단계 성적이 올A이어야 합격을 합니다. 최상의 난도와 노력으로 자기소개서와 면접을 준비해야 합니다. 북일고와 안산동산고 같은 경우, 자기소개서와 면접이 해마다 굉장히 중요한 영향을 미칩니다. 자기소개서 항목의 특이점은 없지만 두 학교 모두 좋은 인재를 뽑으려 하는 만큼 함축적인 자소서와 그러한 활동을 면접에서 충분히 설명해야 합니다.

외고의 경우, 수도권에서 2024학년도 이전에 수 년간 수원외고를 제외하고 미달 경향도 있어 인기하락을 반영했지만 2024학년도를 기점으로 경쟁률도 높아지고 국제고와의 커리큘럼 공유통합, 고교학점제 등으로 상황이 바뀌어서 경쟁률이 높아지고 있습니다. 세심한 준비가 필요합니다.

고양국제고, 동탄국제고, 청담국제고 등 국제고는 심화된 국제정치계열의 역량을 보여줘야 합니다. 소재발굴이 중요하며 풍부성을 보완하여 경제, 사회, 어학 역량을 함께 어필하는 것도 좋은 전략입니다.

(2) 자사고 등 [자기주도전형 + 교과관련 면접 학교]

상산고 같은 경우, 특색적으로 과학, 수학부분의 면접을 보며 독서 역량을 강조합니다. 실제 자기소개서 항목도 집중적으로 학생의 학습경험과 진로역량을 따지고 독서역량을 중점적으로 묻습니다. 과학, 수학면접은 관련 단원학습을 잘하면 혼자해도 큰 문제는 없지만 전문학원에서 관련 부분을 준비하는 것을 추천합니다.

영재고, 과학고 같은 경우는 과학과 수학에 관한 심화학습역량이 중요합니다. 거기에다가 자기소개서 역시 중요하므로 본인의 전공탐색 능력과 학습능력을 자기소개서 등으로 잘 표현해야 합니다. 이후 면접과정에서 이러한 역량을 보충하여 증명해 보이는 것이 합격으로 향하는 지름길입니다.

입학 노하우가 있는 대형 전문학원 준비가 메인이 되어야 하고 저같은 자사고 입시컨설턴트가 보조의 역할을 하며 자기소개서와 면접을 잘 정리해야 합니다.

사실 자사고 등이 복잡한 것 같지만 단순합니다. 뒤의 것은 전문적인 수학, 과학실력이 중요하고, 심화능력을 갖춰야 유리합니다. 그에 반해 앞에 있는 학교들은 좀 더 전공학습에 초점이 맞춰져 있습니다.

자사고 자기주도전형 준비

(1) 자기주도전형 (학교별 특성이 조금씩 반영됨)

자기주도전형의 전체적인 준비는 학교 별로 크게 다르지는 않습니다. 자기주도전형은 진로 역량을 중심으로 얼마만큼 진취적으로 자기주도적으로 학습하고 있는지 어필하는 방향으로 자기소개서와 면접을 준비한다는 큰 방향은 일치합니다.

하지만 구체적으로는 조금씩 인재상, 진학경향, 학교운영, 자기소개서 양식 등 여러 사항에 따라서 조금씩 준비과정에서 차이가 납니다. 주요 자사고인 용인외대부고, 상산고, 북일고, 동산고 등은 약간씩 미세한 차이가 나며 준비할 때, 전체적인 총론은 동일하지만 부분적으로 약간의 수정만 거치면 됩니다.

(2) 진로로드맵, 진로목표 확인

우선 자기주도전형은 단순히 국영수사과 교과목 성적을 비교하는 것이 아닌, 자기주도 학습역량과 진로역량을 확인하고 평가합니다. 그것은 학교나 학원에서 평가받던 국어, 영어, 수학 실력과는 별개로 '2단계 평가에 맞춰 준비한 학생이 선발되고 합격된다.'는 것입니다.

자기주도전형은 전형의 방향인 '진로'가 핵심이 됩니다. 그렇기에 무엇보다도 확고한 진로목표, 진로로드맵이 있는지 확인하는 것이 중요합니다.

(3) 자기소개서 사항 확인

진로목표와 진로로드맵을 중심으로 컨셉을 정하고 그 컨셉을 잘 표현해줄 컨셉주제학습을 한 후 자기소개서를 작성합니다.

자기소개서를 쓸 때, 면접에서 문항지 추출을 염두해두고 때론 포괄적으로, 또 때론 구체적으로 기술하면서 내용과 형식에 완결을 기해야 합니다.

자기소개서 첨삭 평가 및 지도를 하다보면 학생의 역량은 우수함에도 자기소개서 기술, 표현이 잘못되어 합격할 확률이 떨어지거나 또 실제로 불합격하게 되는 경우를 많이 보게 됩니다.

그러므로 반복 첨삭을 통해 학생의 장점을 극대화하며 살리면서 단점이 되는 부분을 잘 가다듬어 좋은 자기소개서를 작성해야 합니다.

게다가 자기소개서는 그 자체로 학생의 사고력, 창의력, 논리력 등의 역량을 보여줄 뿐만 아니라 이를 바탕으로 면접 문항, 질의 역시 결정되기에 정말 중요합니다.

(4) 면접 준비

자기소개서에 기술된 사항과 학교생활기록부에 기재된 내용을 중심으로 준비합니다. 단순히 '질문에 답했다.'는 방식의 소극적인 대응을 해서는 안됩니다. '포인트를 얻을 수 있는 기회다.'라는 생각으로 적극적으로 본인을 어필하여 합격할 생각을 해야 합니다.

자기주도 학습역량, 진로역량을 직접적으로 드러내기에 학교생활기록부 설명, 진로를 실현하기 위한 노력, 자기소개서의 자세한 표현, 장래의 계획 등 많은 준비가 필요합니다.

물론 형식적인 답변 자세 및 표현에 관한 준비도 필요합니다. 하지만 그것보다 학생이 왜 우수한 인재이고, 해당 학교에서 선발해야 하는지 설득력있게 그 근거를 제시하는 것이 핵심입니다.

학교생활기록부 분석 과정

2. 학교생활기록부 분석 과정

- 왜 학교생활기록부를 분석해야 하나?
- 고입 교과 항목 분석의 포인트 : 지원가능 성적
- 고입 비교과 항목 분석의 포인트 : 자율활동과 봉사활동
- 고입 비교과 항목 분석의 포인트 : 독서활동
- 고입 비교과 항목 분석의 포인트 : 자유학년제 활동
- 고입 비교과 항목 분석의 포인트 : 세특 활동
- 부족한 학교생활기록부와 자사고 합격 간의 관계
- 평범한 학교커리큘럼으로 합격하는 법
- 진로목표 결정이 어려운 이유와 결정방법

왜 학교생활기록부를 분석해야 하나?

중학교 학교생활기록부는 고입에 있어 절대적이지 않지만, 필수적으로 참고하는 사항이며 자기소개서와 면접 준비의 시작입니다. 학생들 모두에게 공통으로 적혀진 부분이 많기에 '차별화'가 중요하고 그렇다면 어떤 식으로 차별화할 지 전략이 필요합니다.

(1) 교과내신으로 가능성 판단

자유학년제의 학년 이후인 중2, 중3 교과내신은 서류 1차의 당락을 가르기 위한 컷으로 기능하며 자사고, 외고, 국제고 입시에서 1단계 기본 컷의 충족은 매우 중요합니다.

다만, 이는 역설적으로 학교 내 과목성적 평가가 반영되므로 지나친 선행, 심화는 합격만을 기준으로 보면 불필요하다는 것을 의미합니다.

서류 1차 합격기준이 되는 내신반영 과목과 비율은 각 자사고, 외고, 국제고마다 다르므로 별도로 홈페이지 등에서 입시전형 등과 함께 확인해야 합니다.

참고로 외고의 경우 영어, 국어, 사회의 평점을 학년별로 순서대로 보며 각 자사고들 역시 각자 방법을 달리하여 반영됩니다. 당연히 성적이 안정적이고 높을수록 좋지만 작년 기준 1차 합격기준과 유사하거나 경쟁률이 1대 1~ 2대 1 사이여서 1차 탈락자가 적을 경우 자신감을 갖고 충분히 지원해 볼만 합니다.

하지만 목표 자사고의 1차 합격선이 학생의 점수와 너무 격차가 클 경우, 다른 방향으로 조기에 대안을 찾아야 합니다.

(2) 비교과 내신으로 실현성 확보

자기주도전형에서 내신, 교과활동 외에도 비교과활동, 진로활동에 관한 별도의 계획과 전략이 많이 요구됩니다. 그래서 자사고, 외고, 국제고 등을 준비하는 학생들은 내신성적 외에도 비교과 관련 활동, 진로활동 등을 컨설팅에서 상당히 많은 시간 준비합니다.

내신성적은 1단계가 평가되고, 진로관련된, 비교과 내용이 2차에서 평가되므로 이 부분에 시간을 투자해야 하고 이 시간투자가 결국 합격을 좌우합니다.

고입 생기부는 대입 생기부와는 달리 크게 중요하지는 않습니다. 대입 생기부가 '반영' 요소인데 반해, 고입 생기부는 '참고' 요소이기 때문입니다. 게다가 지원학교 유형에 따라 '도말처리' 되는 항목에 해당할 경우, 지원학교 측이 보지 못할 수도 있습니다.

하지만 그래도 입시를 앞두고 보고 참고하는 이유는 학교생활기록부가 학교생활의 중심이며 학생이 열심히 한 부분을 말해주기 때문입니다. 분석하여 실제 그런 활동을 연결하여 자기소개서를 쓰고 면접에 활용한다면 굉장히 좋은 인상을 남기고 차별화된 준비를 할 수 있습니다.

고입 교과 항목 분석의 포인트: 지원가능 성적

(1) 지원가능 성적에 관해서

자사고의 경우, 좀 성적이 아쉬워도 공격적인 지원이 필요합니다. 1지망에서 2배수(학교, 세부전형마다 다를 수 있음)를 선발하고 그 범위내에 들어갈 경우, 내신성적에 상관없이 2단계에서 면접을 무조건 볼 수 있기 때문입니다.

외고는 해마다 상황과 경쟁률이 다르므로 확언할 수는 없지만 최근 1차 입결 경쟁률을 보면 대부분 1.5대 1 내외의 범위이기 때문에 1단계에서 성적에 큰 영향없이 합격하고 2단계 도전을 통해 합격을 기대를 해볼 수 있습니다.

단, 외고 내신 반영교과 우선순위상 영어에서 a 등급이 나오면 유리하고 합격확률이 높습니다. 물론 영어 등에 b가 있더라도 충분히 자기소개서와 면접에서 영어와 관련 부분 학습 능력이 있음을 강조하고 자기소개서와 면접을 많이 준비하면 합격할 수 있습니다.

(2) 왜 적극적으로 지원해야 하나?

미리 계획을 가지고 준비한 경우 상황, 경쟁률의 변동에 큰 영향이 없습니다. 상황이 유동적일 때가 많은데 할까말까 고민하거나 준비기간이 짧거나 진로컨셉, 자기소개서, 면접 등 대비가 부족할 경우 바로바로 대처하기 어렵습니다.

최근 입시제도의 불확실성이 상당하여 매년 1단계 합격선, 경쟁률이 불안정합니다. 때론 성적이 부족해서 준비를 많이 못하다가 막상 경쟁률이 낮게 나와 지원하고 싶을 때도 있습니다. 이때 미리 준비를 할 경우, 바로 기회를 잡을 수 있고 그렇지 않으면 기회를 놓치게 됩니다.

실전에서 비록 성적은 부족하지만 미리 적극적인 지원의사를 갖고 준비한 학생, 학부모님들은 변화나 여론에 흔들리지 않고 묵묵하게 준비하여 합격한 경우가 많았습니다.

고입 비교과 항목 분석의 포인트 :
자율활동과 봉사활동

자율활동에서는 대외 리더십활동, 학교, 학급활동 등이 기재됩니다. 학생의 대외리더십은 종합평가 항목에서 직접 기술되는 경우도 있지만 자율활동 등에서 특히 많이 나타납니다. 단지 학급자치회장, 부회장 등의 외형적인 면이 아닌 그러한 활동이 주변 친구들에게 어떤 좋은 영향을 미쳤는지 같이 기술되면 좋습니다.

그러나 실제 입시에 있어 평가단계에서 물론 좋은 차별점임에는 틀림없지만 그것 자체로는 입시에서 큰 메리트가 있지는 않습니다.

자사고, 외고, 국제고의 경우 대부분의 학생들이 학생자치회장, 부회장 등 임원으로 봉사한 경우도 많고 관련 경험들이 많아서 차별점으로 크게 작용하지는 않기 때문입니다. 반드시 학급자치회 임원이 아니라도 앞서 말한 것처럼 실질적인 리더십 역량이 있는 지가 중요합니다.

봉사활동은 일부에서 형식적으로 하고, 사기관에서 확인불가능한 형태로 발급받는 상황이 지속되어 그 효용, 신뢰성에 대한 의문이 널리 공감대를 얻게 되었습니다. 그러던 중 코로나19를 통해서 오프라인 활동이 어렵게 되었고 현재는 상당부분 유명무실해졌습니다. 하지만 최근 학교폭력의 문제, 교권의 문제가 불거지고 있어서 앞으로 점점 강조될 가능성이 크다고 생각합니다. 단, 현 시점에서는 크게 중요하지 않습니다.

고입 비교과 항목 분석의 포인트 : 독서활동

실제 학교생활기록부에는 과소평가되고 있지만 면접 평가에서는 굉장히 중시됩니다. 책 선정 자체에서 진로에 있어 이미 굉장히 중요한 포인트가 들어가며 책과 관련된 연계활동이나 본인 스스로 느낀 점, 경험화시킨 지점으로의 연결도 중요합니다.

과거 한일고가 자기주도전형을 운영할 때 굉장히 강조했습니다. 현재에도 상산고 전형에서 굉장히 중요하게 생각합니다. 대입에서 자기소개서가 있을 때 서울대 자기소개서 양식 역시 독서경험을 넣는 방식이었는데 '도서와 그 이해를 통해 학생의 성향과 진로노력을 알 수 있다.'는 점에서 최고의 평가방법이라고 생각합니다.

현재 상당수 학생들이 대체적으로 많이 안 적는 경우도 많고 공통도서 약간만 적는데, 자사고, 외고, 국제고 지원 학생들은 진로관련 교과항목의 도서를 찾아 적거나 읽는 것이 좋습니다.

고입 비교과 항목 분석의 포인트 : 자유학년제 활동

주요 동아리 활동을 주요 1학년, 자유학년제 때 범주를 나눠서 표현한 것입니다. 진로탐색, 주제선택, 동아리, 예체능활동 등으로 나눕니다. 가급적 다양한 활동을 추천합니다. 특히 주제 선택활동은 관심분야와 노력을 보여줄 수 있기에 중요한 활동입니다.

주제 선택활동 과정에서 한 활동이 진로컨셉과 일치하거나 연결된다면 관련된 컨셉주제를 정할 때 참고하는 것도 좋습니다.

그 밖에 운동이나 예체능도 굉장히 긍정적입니다. 대부분의 자사고 학교가 1기 1체 등 리더십을 강조하고 활발하게 체육, 음악 활동을 하고 있기 때문에 고액의 예체능 활동이 아니더라도 꾸준한 활동을 만들수록 좋습니다.

고입 비교과 항목 분석의 포인트 : 세특 활동

중학교 생활기록부의 세특활동은 대입과 직결되는 고교 생활기록부의 세특활동과는 중요성이 다릅니다. 하지만 학교 정상화의 측면과 사교육 방지의 면에서 이 활동이 더욱 활성화되어야 한다고 생각합니다. 또 생활기록부에서 많은 지면을 할애받고 있기에 학생의 능력을 어필하기 적절한 활동입니다. 다만, 자사고 등에서 학교별로 '도말처리' 되는 경우도 있어 필요없다는 의견도 있지만 전 그렇게 생각하지 않습니다. 분명히 잘 살리면 좋은 점이 많습니다.

중학교 학교생활기록부는 학교 내 교과활동에 근거한 자기주도 학습 관련에 중점을 두고 진행하고 있습니다. 그래서 단원별 탐구 주제와 수행평가 주제 등으로 학생 개별적인 진로나 성장과정보다는 일반적인 설명이 많습니다.

여기에 더해 현재 자사고, 외고, 국제고 등에서는 자기소개서와 면접을 통해서 충분히 좋은 인재를 뽑고 있고 노하우도 많이 쌓여 있습니다.

그래서 학교생활기록부를 '반영'이 아닌 '참고'요인으로 많이 고려하고 있습니다. 이러한 경향성은 수년 전부터 두드러져 나오던 것인데, 중학교들마다 비슷한 상위권 학생이라도 써주시는 정도나 학교 사정이 다르기에 학생 자체만을 잘 살피자는 취지에서 이리 발전, 진행된 것이라 생각합니다.

하지만 단원학습에 따른 일반적인 주제를 주로 적어주시더라도 학생의 자기주도적 활동상을 적어주시는 경우도 많이 있습니다. 학생이 세심하게 노력한 부분이 있다면 굳이 없애거나 과소평가하지 말고 진로 방향에 맞춰 살려 발전시켜 능력으로 어필할 수도 있을 것입니다.

부족한 학교생활기록부와 자사고 합격 간의 관계

상담을 하다보면,

Q: 현재 학교생활기록부에 적혀져 있는 내용이 별로 없는데 자사고 입 시를 준비해도 될까요?

A : 네, 괜찮습니다. 다만 반드시 학교생활은 참고해야 하며 학생의 우 수성을 보일 별도의 노력이 필요합니다.

라고 답합니다.

학교생활기록부는 해당 정규학습과정에서 학생의 학습이력이나 비교과학습상황을 가장 객관적으로 보일 수 있는 자료입니다.

그러므로 학교생활기록부 분석을 통해서 학생이 학교에서 공부했던 것, 진로 탐색했던 것을 발굴하면, 앞으로 자사고 입시에 필요한 자기소개서나 면접 사항을 체크해보기 위한 재료가 됩니다. 그래서 저는 학생을 지도하기 전 필수적으로 체크해봅니다.

물론 자사고입 같은 경우 학교생활기록부는 참고사항이며 필수 반영되지는 않습니다. 하지만 학사제도 자체가 학교 중심적으로 이뤄지므로 자기소개서와 면접에, 학교생활기록부에 적혀져 있는 내용을 녹여낸다면 학생의 성실성과 개념확장성, 자기주도적 진로탐색 역량을 보일 수 있기에 그 또한 유리합니다.

하지만 문제는 학교에서 작성해주시는 학교생활기록부에 일반적인 내용만 있기에 특별하지 않다는 점에 있습니다.

하지만 대입 학생부 종합전형의 학교생활기록부와는 달리 자사고 입시에서는 자기소개서 기재와 그에 따른 면접 문항 답안 구상이 중요하므로 혹 학교생활기록부 기재가 진로컨셉을 나타내줄 정도로 구체적이지 않더라도 구체적이고 정밀한 진로 컨셉 구상, 설계를 통해 극복 가능합니다.

평범한 학교커리큘럼으로 합격하는 법

학부모님들이 자사고, 특목, 국제고, 외고등을 준비할 때 답답한 지점이 있습니다. 국어, 영어, 수학 등 기본 교과로 평가하지도 않고 학교 활동도 진로 관련해서 이뤄지지 않았는데, 우리 자녀의 실력을 어떻게 어필할 것이며 지원학교에서 그것을 어떻게 알아주고 평가할 지에 관한 의문입니다.

게다가 지원 자사고의 경우 입학설명회 등에서 사교육 경험 등을 어필하지 말 것을 강하게 주문하기에 혼란과 어려움은 더욱 커집니다.

저는 아래와 같은 딜레마를 해결하고 입시에서 지원학교에서 의도하는 바대로 실력을 어필할 수 있는 역량을 강화할 수 있도록 지도하는 커리큘럼을 운영하고 있고 여러 해 이를 통해 좋은 성과를 거둬 왔습니다.

(1) 진로 컨셉 설정과 지원동기 확인

우선 자기주도전형을 위한 진로컨셉을 확실히 합니다. '진로'는 앞으로 본인의 학업계획, 장래계획과 필수불가결한 부분이므로 분석과 면담을 통해서 이를 정합니다.

대비와 준비는 둘째치더라도 이것이 명확하지 않으면 자기소개서 항목 무엇 하나도 제대로 쓸 수 없습니다. 태생적으로 자기주도전형은 진로 컨셉이 확정되어야 준비할 수 있는 구조이기 때문입니다.

(2) 진로 컨셉 구체화 및 내용 지도학습

이렇게 정한 진로 컨셉을 교과, 비교과 활동으로 연결하여 중학교 과정에서의 의미있던 활동과 연결시킵니다. 종종 부족한 활동은 지도와 진로 주제 맵핑을 통해 함께 연구해서 배우고 채워나갑니다.

이 때 중요한 것은 진로컨셉을 그것을 실현하고 드러내기 적합한 주제, 소재로 나눠 구체화시키는 것입니다.

(3) 자기소개서, 면접

워낙 우수한 학생들의 경쟁이고 내용 또한 전문적이어서 혼자서 하기 어려울 수도 있습니다. 자기소개서 작성과 첨삭 및 그리고 면접의 질문으로 어떻게 나올 지 현출되는 방식을 예상하고 준비해야 합니다.

진로 목표 결정이 어려운 이유와 결정방법

학교생활기록부 분석의 주요 목적은 진로 목표를 더 확실히 하는 것입니다. 분석에도 불구하고 진로 목표 결정이 어려운 이유는 크게 2가지이며 그에 따라 지도방법도 달라집니다.

(1) 진로를 고민하지 않기 때문에

첫 번째, 진로에 관해 고민하지 않기 때문에 목표설정이 어렵습니다. 중학생들은 국어, 영어, 수학, 사회, 과학에 관한 공부를 많이 하지만 교과외에 정작 본인이 무엇을 좋아하고, 앞으로 무엇을 하고 살아갈 지 생각하지 않는 경우가 많습니다.

앞에서 말씀드린대로 자기주도전형은 진로를 결정하고 시작하는 것이기에 진로는 반드시 정해야 합니다. 어찌보면 가혹한 일일수도 있습니다. 이전 세대가 고등학교 때 문,이과를 나누고 수능을 보고 학교를 지원할 때 과를 결정한 것에 비하면 너무 빠릅니다.

하지만 현대사회는 급속도로 발전하고 있고 학문 역시 전문화,

심층화되어 가고 있는 것을 생각한다면 이해가 갑니다. 과거 20대 중후반에 취업을 위해 준비하던 자기소개서를 현재는 초등학교, 중학교 학생들이 영재원 입학이나 고입을 위해 준비하고 있습니다.

즉, 사회 속 사람들의 생애 주기가 빨라지고 진로결정 또한 빠르게 진행되는 것입니다. 그렇기 때문에 어른으로써 우리 아이들, 학생들이 차분히 진로를 정하는 것을 못 기다려주는 미안함과는 별개로, 아이들이 이에 적응하여 자신의 손으로 진로를 정하는 것은 도울 필요는 있는 것입니다.

진로에 관해 고민하지 않은 자녀, 학생들을 앞으로 어떤 직업을 갖고 싶고, 어떤 일에 흥미가 있는 지 살피고 일단 정해줘야 합니다.

그리고 '나중에 얼마든지 네 희망대로 변화할 수 있다.'는 것을 이야기하며 '단지 그렇게 되어도 이때 열심히 노력한 결과는 헛되지 않고 나중의 더 나은 결정의 기틀이 될 것임' 을 이야기하며 도와야 합니다.

공감대와 소통을 통해 지금까지 공부한 교과목을 중심으로 흥미와 적성을 확인하고, 어떤 학문과 직업에 관심이 있는지 자세히 살핀 후 구체적인 방향성을 함께 고민하면 빠르게 진로를 결정할 수 있습니다.

(2) 너무 많은 재능이 있기 때문에

자사고, 외고, 국제고 등에 지원하는 학생들은 모든 분야에서 우수한 자질을 드러내기도 합니다.

그래서 상위권 학생일수록 여러 가지를 다 잘 하는 경우가 굉장히 많습니다. 그래서 문과, 이과의 광범위한 학문들, 더 나아가 문과와 이과를 넘나들며 실험이나 많은 활동이 겹쳐있어 하고 싶은 진로를 정하기 어렵습니다.

굉장히 잘하는 학생이기 때문에 역설적으로 이럴 때 혼자 맡기면 굉장히 낭패를 볼 수 있습니다. '너무 많은 재능이 있기에 정리가 안된다.' 는 것은 진로목표도 불확실할 뿐더러 자기소개서나 면접으로 그 많은 것을 표현하기 어렵다는 것을 의미합니다.

이 때는 학생과 진지하게 이야기하여 무엇을 하고 싶은지 물어보는 것이 좋습니다.

학생에게 '모든 우수한 능력을 다 하기는 어렵고 그것에서도 골라야 하는 불가피함'을 전해야 합니다. 또 주변의 기대 외에 최고의 역량을 갖춘 만큼, 무슨 일을 하며 사회에 기여를 하고 싶은지 이야기하면 선택이 빨라집니다.

기특하게도 공부를 잘하고 리더십 있는 학생들은 가정과 학교에서 기대를 많이 받아왔기에 평소 사회속에서 어떤 가치있는 일을 할 수 있을지 고민하는 경우가 많습니다.

여기에 주체성도 높은 경우가 많아서 본인이 생각하는 직업적 만족과 사회적 가치, 의미를 차근히 이야기하며 구체적으로 정리해 줄 수 있습니다.

진로컨셉주제와 진로로드맵
자기소개서
면접준비

3. 진로컨셉주제와 진로로드맵

- 왜 자사고 합격과 불합격이 갈라지는가?
- 진로 로드맵이란 무엇인가?
- 독서활동의 중요성과 과정

왜 자사고 합격과 불합격이 갈라지는가?

친구는 중학교 3학년 때 압도적으로 잘하지 않았는데 왜 그 자사고 등에 합격하고, 우리 아이는 전교 1,2등을 놓치지 않고 충분히 선행, 심화학습을 시켰는데도 떨어졌을까?

하는 상담이나 글을 많이 보게 되는데 아래의 이유가 굉장히 큽니다.

(1) 진로진학부분

자사고 입학을 위한 일반전형의 경우 자기주도전형으로 이뤄지므로 일정수준 이상의 국,영,수,사,과 내신실력 이외에도 학교와 학원에서 잘 다루지 않는 '진로진학' 관련된 부분을 준비해야 합니다. 이 부분에 대한 이해와 준비가 부족한 것입니다.

합격한 학생은 이 부분을, 스스로 했든 외부, 사설컨설팅 등의 조력을 받았든, 어디서 어떤 식으로든 채웠을 가능성이 큽니다. 즉, 합격을 위해서는 진로컨셉 주제학습을 통해 더 구체화해야 하고 진로진학 부분을 확실한 정리해야 합니다.

(2) 자사고에서 원하는 인재

교육현장에 있으면서 획일화된 형태의 입시에 성향 자체가 맞지 않을 경우 학생의 능력, 노력과는 별개로 성적이 안 좋을 수도 있다는 것을 알게 되었고 많은 사례를 봤습니다.

그래서 컨설팅 지도를 하면서 현재는 과소평가되지만 이런 잠재력 있는 학생들에게 발전을 위한, 또 다른 새로운 길을 열어주자는 생각을 했습니다.

그것이 바로 '진로학습'입니다.

잠재력은 있지만 일시적으로 못하는 학생도 있고 사정이 있어서 내신성적이 좀 부족할 수 있습니다. 하지만 좌절하고 포기하지는 말아야 합니다.

최후에 합격을 하는 학생들 대부분은 지원학교에서 원하는 능력을 갖추기 위해 철저히 준비하여 합격한 것입니다.

성적이 최상인 학생이 무조건 합격하는 것도 아니고, 선행학습이 많이 된 학생만 합격하는 것이 아닙니다. 그렇기 때문에 성적이 설령 올A가 아니라도, 전교 최상위권이 아니라도 상위 20%만 되면 그것이 어디든 자사고, 외고, 국제고가 되었든 미래의 가능성을 향해 함께 노력해야 합니다.

진로 로드맵이란 무엇인가?

진로 로드맵은 어떤 식으로 진로목표를 구체화할지 생각하고 구상하는 과정입니다. 진로목표가 세워진다고 해도 어떤 주제를 공부할지, 어떤 식으로 발전할지 구체적으로 정하지 않는다면 공허한 이야기가 될 것입니다.

가령 '나는 인권변호사가 되겠습니다.'라고 진로목표를 세울 수 있지만 '인권변호사가 단지 되겠다.'고 이야기만 하는 것은 비현실적이고 신뢰성이 없습니다. 중요한 것은 그 실질적인 과정이나 계획을 보이는 것입니다.

인권변호사가 왜 되어야 하는지, 누굴 위해서 되려 하는지, 어떤 역량을 기르고 어떤 식으로 준비할 것인지를 생각해야 자기소개서와 면접과정에서도 잘 기재, 답할 것이고 실제 믿음이 갈 것입니다.

진로 로드맵을 위한 구체적인 단계는 아래와 같습니다.

(1) 진로목표 설계

진로 목표를 일단 정해야 하는데, 추상적이어도 됩니다. 하지만 직업으로 제한될 필요는 없습니다. 가령 '환경전문가가 되고 싶다.' 라고 할 때 환경전문가는 진로 목표가 될 수 있습니다. 자신이 좋아하는 것, 과목, 분야, 책, 사람, 동아리, 활동 등등 다양한 소재로부터 시작할 수 있습니다.

(2) 진로 로드맵 : 컨셉주제

앞서 정한 진로목표에서 '그것을 위해서 어떤 것을 준비하겠다.' 라는 식으로 발전할 것을 생각해야 합니다. 가령 환경전문가가 되기 위해서 무엇을 준비해야 할까? 어떤 공부를 하고 싶나? 어떤 공부를 지금 할 수 있나? 다양하게 이야기 할 수 있습니다.

즉 환경전문가가 그냥 되는 것이 아니라 가령 '현재 중국의 미세먼지 문제가 국제화 되어가는 양상', '지구온난화', '기후변화 위기' 등등 다양한 주제로 발전할 수 있는 것이죠.

사실 이 과정이 관련 과정의 핵심이며 자기소개서의 기본이 되는 활동이 될 수 있습니다.

(3) 진로 로드맵 : 진학 및 경력 발전계획

실제 진학과 경력 발전을 연결시켜야 합니다. 관련된 공부를 대학에서 하기 위해서 난 어떻게 준비해야 하는지, 환경전문가가 되기 위해 환경학과를 갈지, 환경을 공부하고 나중에 환경NGO에 가서 전문성을 쌓을지 등등 구상하는 방향이 다를 것입니다.

이 과정에 반드시 해당 자사고, 외고, 국제고가 있어야 합니다.

사실 자사고, 외고, 국제고를 지원하는 지원자가 많이 간과하기 쉬운 부분인데 이 부분이 있어야 진학동기가 되는 것입니다. 아무리 학생의 역량이 우수하다한들, 이 학생이 삶의 경력 발전에 있어서 해당 학교 진학의 의미가 없거나 약하다면 뽑을 이유가 없는 것입니다.

이 부분은 한 챕터이지만 정말 굉장히 중요한 부분입니다.

독서활동의 중요성과 과정

제가 입시과정, 진로구체화 과정에서 가장 중요한 것으로 생각하는 것은 바로 독서를 통한 진로 탐색, 심화 과정입니다.

경향성과 준비과정이 비슷한 고입 자기주도전형이나 학생부 종합전형에서는 진로와 관련된 소스를 많이 준비하고 이것을 수행평가, 세부능력 특기사항 등 비교과 과정으로 바꾸는 것이 중요합니다.

고교에서도 이미 대입에서 자기소개서가 빠졌기 때문에 학교생활기록부, 정확히는 비교과 부분의 중요성이 더 커졌고 관련된 내용을 진로, 심화 독서를 통해 보완하고 나타내고 있습니다. 이것은 그대로 자사고 입시, 자기주도전형에서도 적용됩니다.

학교생활기록부 역량 진단 후 진로 탐색과정을 살펴보면 진로독서의 중요성과 학생, 학부모님의 관심과는 별개로 실제 이것을 제대로 해서 학교생활기록부 등에 목록을 기재하거나 실제 무기로 사용하는 경우는 드물다는 것을 알 수 있습니다.

아쉬운 지점이며, 아래와 같은 방식으로 제대로 준비하여 무기로 삼을 수 있습니다.

- 즉, 미리 진로와 관련된 도서를 정하고,
- 그것을 함께 읽고 탐구하면서 제대로 된 지식으로 쌓으면서
- 피드백을 통해 자기주도적 비교과 활동의 소스 마련

그럼 한 부분 한 부분, 자세히 말씀드려 보겠습니다.

(1) 도서, 서적 정하기

1) 교과서 내용 심화, 확장, 집중

진로 관련된 키워드 소스를 얻기 위해서 교과서는 마중물의 역할을 합니다. 교과서의 내용을 심화, 확장, 집중하여 더 심도있는 주제를 공부해야 합니다.

2) 진로관련 주제

진로 탐색 이후 진로와 연관성 있는 주제에 관해 심층 탐구해야

합니다. 이것을 가장 편하게 하는 것이 바로 진로 심화 독서입니다.

학생들의 독서활동의 도서를 보면 진로와 관련성이 적거나 영감이 적은 도서가 있는 것을 발견하게 됩니다. 연관성이 없거나 적은 주제의 책을 선정하면 좋은 인상을 못 주게 됩니다. 가급적 학교생활기록부에도 진로 관련된 도서를 넣는 것이 좋습니다.

(2) 함께 읽고 탐구하여 제대로 된 지식을 쌓기

이렇게 선정된 책을 1개월 ~ 수개월간 통독 혹은 발췌독을 통해서 분석하고 제대로 된 개념으로 정립해야 합니다. 단순한 독서감상문의 형태가 아니라 각 단원에서 말하는 다양한 내용 중 진로 중심으로 큰 줄기를 잡고 진로 목표, 진로주제와 관련된 질문을 만들어서 생각해 보는 것입니다.

그렇게 한 후에 현실에 적용하거나 실제 관찰, 실험, 통계 활동으로 연결하여 적용할 수 있습니다. 이것이 자사고 등에서 원하는 통찰력, 진로 탐색 능력입니다. 즉, 간접경험과 직접경험을 제대로 연결해야 합니다.

만일 학생 혼자서는 읽기 어려우면 학생과 함께 읽어가거나 읽어줄 수 있는 과정을 계획해야 합니다. 책에서 관련된 핵심적으로 중요한 부분을 함께 탐구해야 하고 이것을 간명한 형태로 정리하여 언제든 꺼내쓸 수 있도록 해야 합니다.

(3) 자기주도적 비교과 활동으로 연결짓기

평소 단원과 관련된 학교에서 주어지는 수행평가, 비교과 활동, 진로활동, 동아리 활동 등은 교과 단원학습과정보다는 교과 진로관련된 주제로 변형해서 생각해야 합니다.

과목탐구의 경험을 진로 관련성을 중심으로 재해석해야 하며 이때 가장 유용한 수단이 바로 진로심화 독서경험입니다.

(4) 보충 : 초등, 중등 저학년의 자사고 대비

상담을 받아보면 자사고 입시에 초등학교 3, 4, 5학년부터 중1,중2

학생의 학부모님들께서도 많은 관심을 보이십니다. 자사고 입시까지 시간이 좀 남아있기에 해당 학년에 어떻게 준비해야 하는지 감이 안 잡혀서 어떻게 길을 잡아줘야 할지 많이들 어려워하십니다.

특히 학부모님들 세대는 교과중심의 학습이 이뤄지던 시기라서 진로중심의 자기주도전형에 생소합니다. 그래서 국어, 영어, 수학 심화, 선행 이외에 어떤 식으로 자사고, 외고, 국제고, 특목고, 영재고 등을 준비해야 하며 목표를 가다듬을 수 있는지 이해나 정보가 부족합니다.

그런 점에서 진로심화독서가 이 시기에 천천히 학생들의 진로동기와 학습동기를 북돋아 줄 수 있는 최상의 방법입니다.

4. 자기소개서

- 자기소개서가 왜 중요한가?
- 영재고, 과학고 자기소개서 특징

자기소개서가 왜 중요한가?

(1) 내신상 열세의 보완

기본적으로 자사고 입시에서 1단계는 내신 컷이 굉장히 중요합니다. 하지만 이 성적 기준은 그 해의 경쟁률, 입시상황에 따라 유동적입니다.

다만, 대체적으로 1단계 선발기준인 성적 기준은 해마다 일정한 흐름이 있으며 자사고, 외고, 국제고에 따라 예년 수치가 있기에 충분히 예상가능합니다.

일단 1단계 합격 기준은 이러하지만 입시에서 학생, 학부모님들께서 궁금하신 사항은

'만일 1단계 합격자중 내신이 하위권인데 자기소개서, 면접을 통해 뒤집을 수 있는가?'

하는 것입니다.

자기소개서, 면접으로 '어느 정도 열세를 극복할 수 있을 지'에 관한 많은 의문이 여기에서 나옵니다. 내신이 중요하다면 자기소개서를 잘 쓰지 못해도 1차에서 반영되는 내신 가중치가 크게 작용되어 합격하게 될 것이고, 같은 이유로 자기소개서를 잘 쓴다해도 1차 서류의 내신의 열세를 극복하지 못하고 불합격할 가능성이 크기 때문입니다.

이럴 때는 우선 전형 자체의 모습을 살펴야 합니다. 분명히 전형은 1단계에서는 내신이 거의 '주'가 되는 교과서류로 선발되고 2단계에서 자기소개서와 면접이 들어갑니다. 상식적으로 1단계 성적이 절대적이라면 2단계 전형 자체가 무의미해지는 것이죠.

덧붙여서 평가 고교의 심리와 제도도 생각해야 합니다. 1단계에서 고려되는 해당 중학교 성적은 절대평가성적으로, 이는 평가 고교에서 직접적으로 판단한 것이 아닌, 중학교에 의해 간접적으로 측정한 성적입니다.

중학교, 학교교과담당 선생님 성향에 따라 난도도 다를 것이므로, 그것만을 절대적인 기준으로 자신 고교에 들어올 학생을 선발하는 것은 불합리하다고 생각할 것입니다. 게다가 자기주도전형 자체가 '중학교 때의 절대평가 교과성적과 고교 때의 진학실적이 다를 수 있다.'는 대전제에 기반하고 있습니다.

이러한 이유를 종합하여 학생선발권은 어디까지나 고교에 있는 것이기에 자신만의 눈으로 직접 보고 판단하여 좋은 인재를 선발해 가려고 하는 유인이 있는 것입니다.

즉, 자기소개서와 면접으로 충분히 내신의 열세를 보완할 수 있습니다.

실제 제가 지도한 많은 학생들이 진로컨셉이 명확하고 준비가 잘 될 경우, 자기소개서가 잘 쓰여지고 면접이 잘 준비되어 1단계 내신점수가 다소 낮아도 합격해 왔습니다.

하지만 사정이 이렇기 때문에 반대로 내신점수와 선행, 심화 학업역량이 우위에 있는 학생의 경우라도 진로컨셉, 자기소개서, 면접 등 준비가 덜 된 경우 불합격하게 됩니다.

(2) 학교생활기록부의 보완

자기소개서는 자신이 평가한 자기 활동의 기록입니다. 자신을 표현하며 지난 학교 3년을 종합하여 다른 이에게 평가를 청하며 쓴 글입니다.

자기소개서를 쓰는 이유는 학교생활기록부의 많은 내용, 학생의 역량을 선발선생님들과 입학사정관님들이 전부를 확인하기는 어렵다는 이유도 있습니다.

게다가 중학교 학교생활기록부는 자사고 입시 등에만 참고사항으로 쓰이므로 본격적으로 내용이 반영되는 고교 학교생활기록부와 쓰여지는 정성과 중요도에서 크게 차이가 납니다. 그러므로 자기소개서, 면접 등으로 반드시 보완해야 합니다.

더해 학교생활기록부가 선생님에 의해 쓰여지는 것에 반해, 자기소개서는 학생의 관점에서 본인이 주도적인 계획 아래에 미래를 어떻게 그리고 있고 또 노력해 왔는지 설명하는 가장 중요한 자료입니다.

그래서 자기소개서에는 생활기록부에 간단히 적혀있는 내용도 길게 적거나 자신이 생각하는 중요한 가치들, 노력들을 소명가능한 범위에서 제도가 허락하는 한 자유롭게 쓰도록 하고 있는 것입니다.

(3) 면접시 중요기초자료

전 모든 자사고의 자기주도전형에서 자기소개서와 면접의 관계를 '좋은 밭에서 좋은 열매와 작물이 나오는 것 같다.' 고 표현하곤 합니다.

자기소개서가 좋지 않으면 면접에서 선발을 위해 필요한 '포인트가 되는 질문'을 받기 어렵습니다. 자사고 입시에서 면접의 개별 질문은 자기소개서를 기반으로 나오기 때문입니다. 그렇기 때문에 저같은 전문가는 경우에 따라 기술적으로 면접문항까지 고려하면서 자기소개서를 생각하고 첨삭합니다.

실제 입시에서 자기소개서의 내용을 면접 시 질의의 소재로 활용하시는 경우가 굉장히 많습니다. '오픈 북' 시험처럼 '이 부분은 네가 자신있게 쓴 부분이니 한 번 설명해보라.' 는 식으로 많이 구성하는 것입니다.

문항 자체가 굉장히 객관적이지만 답은 주관적이어서 사교육 유발요인도 없는 것도 큰 장점이고 앞으로의 올바른 추세이며 지향입니다.

영재고, 과학고 자기소개서 특징

서울과학고, 경기과학고, 세종과학 예술영재학교, 한국과학영재학교 등 전국의 영재고나 과학고의 자기소개서는 좀 이르게 준비됩니다. 영재고, 과학고 자기소개서 및 면접 준비는 몇 가지 특징이 있는데요.

(1) 가장 중요한 것은 수학과 과학에 대한 관심의 표현.

영재고, 과학고의 자기소개서 및 면접 준비는 수학, 과학 학원의 심화 과정이 핵심이 되고 중요하기에 관련 기본 내용은 주요 학원가의 대형전문학원에서 채워야 합니다.

하지만 수학과 과학 교과중심의 관련내용은 전문 학원에서 메인 소스를 받지만 접근이나 초점, 종합의 문제는 혼자서 혹은 컨설팅을 통해 해결해야 하므로 많이들 문의주십니다.

영재고 등에서 사교육을 육성하지는 않지만 영재학교이기에 관련된 심화 과정에 대한 이해가 선행되어야 합니다. 즉, 선행에 대한 어필보다는 심화 과정의 수행능력을 강조해야 합니다. 단순히 고교 교과과정 선행 학습 경험을 강조해서는 안 되고, 중등 교과의 확장, 심화 과정을 어필해야 합니다.

그러므로 관련 사고력 학습, 심화과정을 한 번 쭉 살펴보고 중학교 교과과정으로 환산하여 복합적으로, 심도있게 표현할 수 있는 주제를 살펴 봐야 합니다.

(2) 관련된 사실의 연결이 직접적인 본인의 활동으로 연결되어야 하는 점.

특히 영재고나 과학고에 지원하는 많은 학생들이 잘하지 못하는 부분입니다. 자기 경험으로 환산하여 개념을 이해하고 확인하고 비록 학습이나 연구, 개념정리가 실패했어도 시행착오하는 과정을 잘 설명하는 것이 중요합니다.

그런데 학원에서 심화개념 등은 배우기 때문에 이를 소스로 그대로 기존의 간접지식을 나열해 놓는 경우가 많습니다. 그렇게 하면 안 됩니다. 개념을 이해하고 문제를 해결하기 위해서는 본인이 한 활동을 적고 관련된 생각이나 개념을 역으로 추산해서 확장시켜야 합니다.

그래서 이 부분을 통해 통찰력과 창의성, 진로 탐색 능력을 포함한 영재성을 보여야 합니다.

(3) 내용적 지식에 머무르지 말고 개념의 확장, 응용을 종횡으로 꾀하라는 것입니다.

영재고 관련 수학, 과학 학원에서도 준비해주기 어려운 부분입니다. 관련된 개념을 다양하게 접근하고 해법을 구상하고 생각하며 심화, 확장, 집중의 힘을 보여야 합니다.

- 본인 이해와 성장을 시간순으로 이야기 하든지
- 다른 학문, 개념과의 연결 하든지
- 해당 결과물이 시사하는 것을 통찰력있게 보든지

해서 풍부한 이해를 보여야 합니다.

5. 면접 준비

- 면접을 위해 컨설팅이 필요한가?
- 자사고 면접 문항 종류
- 자사고 면접 준비 핵심팁
- 면접 경쟁의 본질은 상대평가

면접을 위해 컨설팅이 필요한가?

얼마 전 자료들을 찾다가 유력 자사고 입시 카페에서 '학생이 혼자 열심히 한다고 해서 맡겼는데 불합격이후 전문 면접 컨설팅을 안 받은 것을 후회한다.'라는 다수의 글을 봤습니다.

이에 대해

- 결국 실패를 딛고 잘 할 것이다.
- 혼자 하든 누구와 하든 합격에 필요한 양이 있는데 연습한 만큼

또 의미가 있는 것이니 필요하다.

- 자기소개서와 면접 컨설팅은 굉장히 중요하다.

- 합격가능성을 조금이라도 높여주는 것이라면 뭐든 해야 한다.

등 많은 댓글이 있었습니다. 다들 일리가 있는 말씀입니다. 하지만 이는 불합격상황에 대한 문제 파악 자체가 잘못된 것입니다.

(1) 자사고 입시에서는 면접 외에도 모든 것이 중요합니다.

물론 면접 준비 여하에 따라서 합격률이 차이가 나는 것이 사실이지만 면접만으로 당락이 결정되지는 않습니다.

자사고 입시는 그 외형으로 드러난 경쟁의 형태가 면접일 뿐 훨씬 이전의 단계에서 이미 시작됩니다. 일반적으로 중요하게 생각하는 자기소개서, 면접 외에도 그 이전에 학생의 적성파악, 진로설정, 진로컨셉주제, 진학 후 앞으로의 계획을 포함하여 자신감(vibe)과 여유까지, 다양한 과정이 진행됩니다.

이렇게 면접 이전에 자기소개서나, 그 이전에 컨셉주제 지도가 이뤄지고 있는데 '면접'만이 따로 떨어져 큰 의미가 있을까요?

단추로 된 옷을 생각하시면 이해가 빠르실 겁니다. 물론 최정상급 학생들의 경쟁이므로, 면접을 준비 안 할 경우 불합격할 가능성이 커지지만 거꾸로 그 면접 과정만을 컨설팅을 한다고 합격확률이 굉장히 높아지는 것은 아닙니다.

이 모든 과정을 학생 스스로도 할 수 있지만 효율과 능력, 노하우에서 핵심전문가에게 조언받는 것이 낫습니다.

의료와 법률문제에 있어 의사선생님과 변호사의 도움을 받는 것과 같습니다. 입시현장에서 2대 1 이상의 경쟁률이 나오는 자사고 입시에서는 이렇게 진로목표, 컨셉설정, 컨셉주제, 자기소개서, 면접 등 각 과정이 완벽해야 합격할 수 있습니다.

(2) '능력'과 '믿음'은 별개입니다

당연히 이 글을 보시는 학생, 학부모님과 저는 우리 자녀, 학생을 믿습니다. 하지만 그 믿음과 합격 여부는 별개입니다. 이것은 입시에 있어 반드시 염두해야 할 철칙입니다.

당연히 학생이 열심히 할 것은 믿지만 그것을 할 능력은 별개입니다. 오히려 능력은 믿음의 전제가 되어야 합니다, 노력, 좋은 교재, 선생님을 붙여 주고서 '믿음'을 보여야 합니다. 그냥 '학생 혼자서 잘 하겠다.' 하는 것을 믿고 있어서는 안 됩니다. 합격에 요구되는 실력과 학생, 학부모님의 서로 간의 믿음은 별개이기 때문입니다.

(3) 중학교 과정에서는 면접연습이 없습니다.

입시 면접은 단순히 말을 조리있게 하는 것이 아닙니다. 자기소개서에 있는 활동을 설명하고 지난 중학교 3년의 기간을 어떻게 보냈는지 표현하는 활동입니다. 그 외 '자기 자신'을 말로써 설명하여 '나'란 사람에 대해서 지적인 면과 인간적인 면을 동시에 드러낼 수 있어야 합니다.

문제는 우리 학생들이 이런 방식의 면접을 준비해 본 적이 없다는 것입니다. 물론 토론을 하거나 일상 속 대화는 했겠지만 자신의 생각을 적절하게 표현하는 과정은 공부한 적이 없죠. 학교선생님이나 친구들이 옆에서 도와줄 수는 있지만 내용이나 구성 확인이 안 되므로 제대로 된 면접준비는 안됩니다.

자사고 면접 문항 종류

(1) 개별질문 대비 : 자기소개서 항목 철저분석

개별질문에 대비하기 위해 학교생활기록부를 확인하고 특히 철저한 자기소개서 분석이 되어야 합니다. 여기에 더해 어떻게 시간을 배분하고 시험장에 가기 전 무엇을 준비해야 할 지 구상하고 연습해야 합니다.

학생들 대부분이 대답의 포인트와 구체화 방법에 대해서 본격적으로 배워본 경험이 없기 때문에, 짧은 시간이라도 반드시 확인하고 대비해야 합니다. 적절한 시간, 구체적인 대답을 체계적으로 준비해야 합니다.

(2) 공통질문 대비 : 적절한 답변의 구성방법 학습

코로나 19로 인해 집합공간에 모이는 것 자체를 기피하여 최근 몇년 동안 공통질문을 실시 안 한 학교도 많습니다. 2024학년도부터 코로나19가 본격적으로 해결되어 혹 미달이 되더라도 실시를 하는 방침이 정해져 실행되었습니다.

공통 질문은 반드시 정답이 있는 경우보다는 '어떻게 본인의 주장을 적절한 논거를 통해 설명하는가 하는 것'에 초점이 있습니다. 기출문제 등을 분석해보면 정해진 답은 없지만 적절한 답과 도출하는 법은 존재합니다.

사회 교과서의 정의에 관한 대립, 과학토론, 사회토론에 관한 글 등이 유용합니다. 특히 실재론과 존재론, 효율성과 공평성, 인식론과 제도론, 개인, 조직, 국가차원 등 이분법 혹은 프레임을 나누는 훈련을 하면 크게 도움이 됩니다.

(3) 면접 일정과 대비의 중요성

자사고, 외고, 국제고 등의 경우 면접을 12월 하순쯤에 치르게 됩니다. 매년 확인해보면 면접에 관해 조금이라도 준비하고 가는 것과 준비를 안하고 가는 것은 합격률에서 굉장히 큰 차이가 납니다. 특히 입시 목적적인 면접 경향보다는 시험장에서 풀어낼 내용에 신경을 써야 합니다.

자사고 면접 준비 핵심팁

(1) 철저한 자기소개서 분석

자사고, 외고 면접에서 가장 중요한 대비 포인트입니다. 면접에서는 자기소개서 항목에 관한 질문을 통해 학생들의 관심사, 관련된 자기주도역량, 진로역량을 평가합니다. 그렇기 때문에 본인이 적은 자기소개서를 좀 더 객관적인 시각에서 보고 그것을 중심으로 문항지를 만들어 답을 구성해 봐야 합니다.

가급적 내용이 풍성해지도록 노력해야 하며 관련된 활동을 제대로 설명하고 있는지 확인하는 과정이 필요합니다. 철저한 자기소개서 분석을 통해 구체화, 확장, 연계 등의 과정을 고려해서 질의를 만들고 답변을 구성해야 합니다.

(2) 중학교 생활의 총정리

중학교 때의 경험이 결국 판단의 기반이 되므로 잘 정리할 필요가 있습니다. 특히 학교생활기록부의 교과활동, 비교과활동, 봉사, 진로관련 탐색 등 관련 항목 중심으로 중학교 3학년까지의 과정을 잘 정리해 봐야 합니다. 워낙 활동이 광범위하기에 미리 정리를 하지 않으면 갑작스러운 질문에 대처하지 못할 수 있으니 각각의 상황을 염두해두고 준비해야 합니다.

(3) 답변 구성의 중요성

내용을 잘 정리하더라도 대부분의 학생들이 표현에 미숙한 면이 많습니다. 이것은 그 간의 스피치 경험, 학생들의 성격적인 면에 의해 결정되는 면이 있어 단기간 실력이 증가하기 어렵습니다.

하지만 일정한 답변 패턴을 지도하고 그에 맞춰서 학생 스스로 본인의 경험을 답으로 만드는 법을 안다면 단기간에도 기량이 급성장해 훨씬 좋은 내용과 표현을 할 수 있습니다. 답변의 프레임을 짜고 그것에 맞게 답하면 정확하고도 구체적으로 답에 접근할 수 있기 때문입니다.

내용정리가 잘 되어 있고 잘하지는 않지만 차분히 말할 수 있다면 굳이 무리해서 시간이나 비용을 들여 따로 컨설팅 등의 지도를 받을 필요는 없습니다.

하지만 부족한 스피치 뿐만 아니라 제대로 구성된 방식으로 좋은 내용의 면접 답을 구상하실 경우, 구체적인 진단, 평가, 지도, 확인 일련의 커리큘럼에 따라 지도하는 면접 컨설팅을 받는 것이 유리하고 합격에 결정적인 영향을 미칩니다.

면접 경쟁의 본질은 상대평가

입시에서는 다른 경쟁자와의 차별성이 중요하며 모든 경쟁은 상대적이며 자신의 우수성을 어필하는 과정임을 간과해서는 안됩니다.

Q : 예전 학부모님과 상담을 할 때,

'지원 학교의 입시설명회에서 면접이나 기타과정에서 아무 준비도 안 해도 된다고 했습니다. 같이 쓰는 학생 3명을 팀으로 짜 올 테니 떨지 않고 말하는 법 중심으로 지도해주시면 안될 까요?'

라고 요청하신 적이 있습니다.

A : 저는

'지원하시는 전형이 진로 중심의 자기주도전형이므로 일단 1대1로 진로컨셉확인이 우선이며 3명 동시 강의는 강사 입장에서는 강의 효율적인 면에서는 좋지만 학부모님이나 학생 입장에서는 최선이 아닙니다.'

'게다가 학교에서 준비가 필요없다 말해도 그 학교의 예년 경쟁률이 3~4대 1인 이상 경쟁이 불가피합니다. 그러므로 관련된 질문을 본인의 역량과 연결해서 답하는 것이 중요하며 말하는 '방법' 보다는 '무엇을' 말하고자 하는지 그 내용을 준비하는 것이 필요합니다.'

라고 솔루션을 드린 적이 있습니다.

선발 학교는 당연히 학생을 상호비교하여 양질의 학습 노력을 보이고 진로탐색의 과정이 선명히 보이는 학생을 선발할 수 밖에 없습니다. 게다가 외부에 문항 질문을 어렵게 한다고 하는 것은 사교육 방지라는 교육당국 지침을 어기는 것이 되어 더욱 그렇습니다. 그러므로 표면적인 학교 측의 말과는 달리, 이 때 실질에 맞는 내용 준비를 해야 합니다.

특히 개별면접에서는 질문 자체가 어렵지는 않습니다. 답이 어려울 뿐입니다. 보편적인 질문이 나오더라도 경쟁의 상황에서 내 능력을 어필할 수 있는 나만의 특색있는 답을 구상하는 것이 중요합니다.

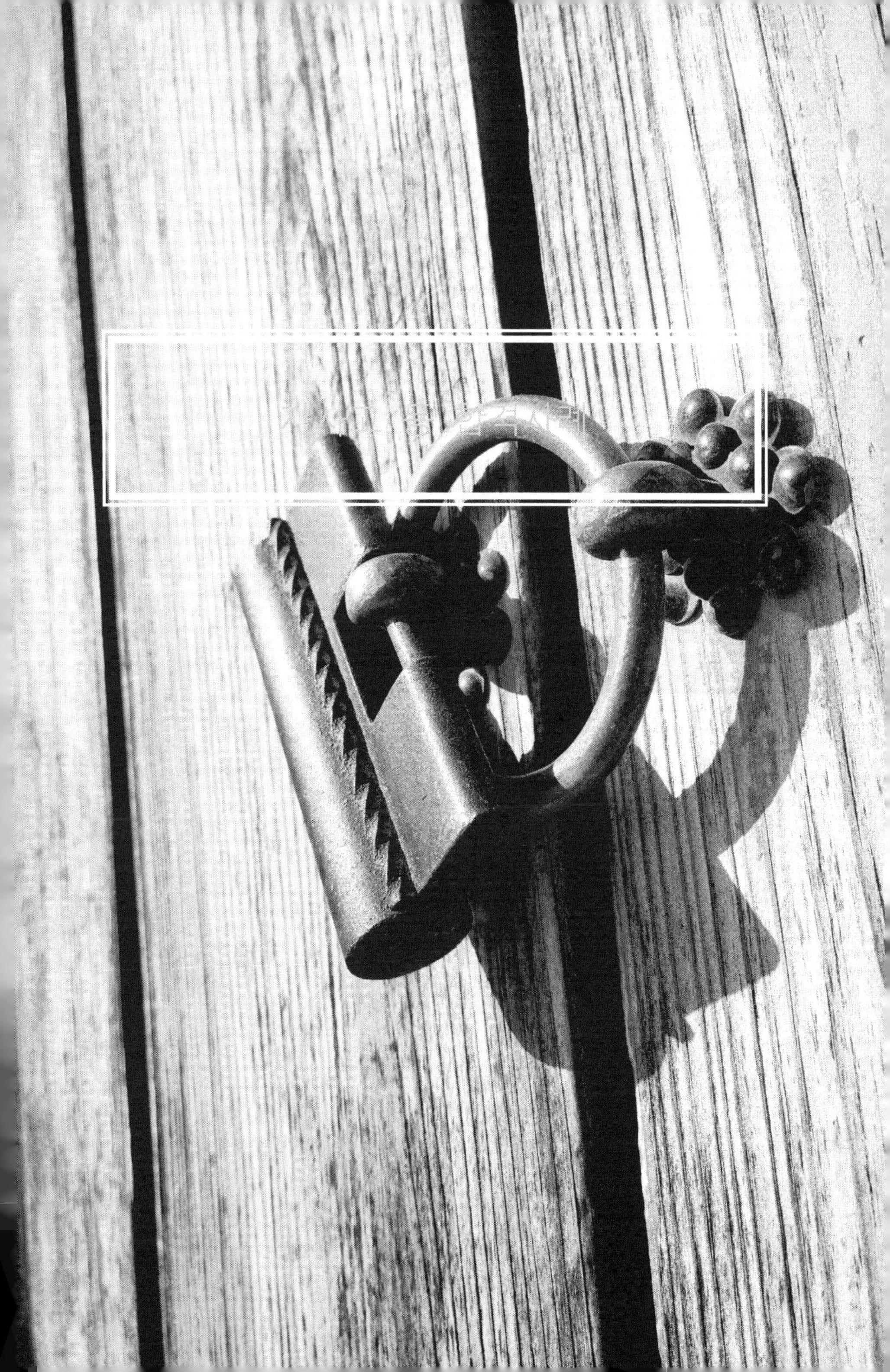

6. 자사고 등 합격사례

- 합격사례 : 2024학년도 용인외대부고 합격
- 합격사례 : 2024학년도 안양외고 합격
- 합격사례 : 2024학년도 과천외고 합격
- 합격사례 : 2023학년도 용인외대부고 합격
- 합격사례 : 2023학년도 수원외고 합격
- 합격사례 : 2023학년도 전주상산고 합격
- 합격사례 : 2022학년도 용인외대부고 합격
- 합격사례 : 2021학년도 경기외고 합격
- 합격사례 : 2020학년도 안양외고 합격
- 합격사례 : 2020학년도 경기외고 합격

제 주요 활동 지역이 평촌을 중심으로 한 경기도 수도권이라 관련 지역사례가 많습니다. 사례들은 주요 자사고, 외고 합격사례입니다. 북일고, 안산동산고, 과거 한일고, 과거 공주사대부고, 동탄국제고 등 합격 사례도 다수 있지만 10여년간 꾸준히 성과낸 만큼 오래된 합격사례나 3개월내 단기지도한 경우 뺀 사례를 추려봤습니다.

자기주도전형은 자사고, 외고, 국제고의 진로의 차이는 있을지언

정 준비과정과 방법론이 동일합니다. 합격사례 속에서 학생에게 해당하는 각각 포인트를 체크해서 적용하실 것을 추천합니다.

책 초반에 써드린 것처럼 구체적인 진로 컨셉주제, 자기소개서 첨삭과 면접 답변지 준비과정은 준비과정의 흐름이해가 핵심인데, 글로 기술하기 어려운 부분, 개인정보에 관한 부분이 들어갈 수 밖에 없어서 책에서 제외하였습니다.

물론 시중의 많은 관계 책들을 보면 '추상적이고 식상한 내용과 표현, 주제'를 '잘 된 사례'로 잘못 적은 것도 있어서 '잘 된 사례'를 통해 정말 제대로 된 방법이나 키워드를 말씀드릴까 고민도 됐지만, 이는 책 속에서는 사례 진로주제와 소재가 특정되어야 하기에 어렵습니다.

부족하게나마 핵심요령, 방법을 말씀드리면 중요한 것은

'학생과 대화와 소통을 통해서 학생의 획일적, 단편적인 지식을 연결해 다양하고 심층적 지식으로 만들어 주고, 일상 속에서의 탐구과정을 잘 듣고 그 안에서의 특별한 것을 찾아 자기소개서, 면접

에서 강조해주는 것'

이라 생각합니다.

저는 학생을 지도하며 학생들 자신만의 자료를 함께 만들어 줍니다. 실제 자사고 고입을 성공한 후 본인의 키워드로 가져가 확장하고 연결하여 서울대학교 등 대입 수시에서 성공한 사례도 많이 있습니다.

그렇기 때문에 아무리 제 책이라도 책을 통해서 진로 키워드와 진로컨셉소스를 공개해버리면 다들 따라하게 되어 앞으로 그 학생이 간접적으로 피해를 입을 수 있어 공개가 어렵습니다.

이 책의 호응이 좋아 많이들 요청하시면 나중에 별도의 제한된 강의, 책 등을 통해 부분 차용하거나 가상사례 등을 넣어 더 정밀하게 만들어 설명드릴 기회를 갖겠습니다.

합격사례 : 2024학년도 용인외대부고 합격

(1) 2024학년도 용인외대부고 합격의 의미

(최근 3년 연속합격, 최근 6년중 5차례 합격)

2024학년도 용인외대부속고등학교는 전국단위 선발의 경우, 196명 모집에 636명이나 지원하여 경쟁률 3.24대 1을 기록하였습니다.

명실공히 전국 최고의 자사고 중 하나이자 특히 2024학년도 수능에서 만점자도 배출, 누적 17명의 전국수능 만점자를 차지할 만큼 전국 최상위권의 실력 또한 다시금 확인되며 뜨거운 경쟁을 보였습니다. 감사하게도 이렇게 좋은 학교에 2024학년도까지 제가 지도한 학생이 그 작년과 재작년에 이어 3년 연속하여 합격했습니다.

특히 이 해는 유독 대입 컨설팅 상담문의와 의뢰가 많아 용인외대부고는 특별히 한 명만 선정해서 지도하던 차에 들린 좋은 소식이라 굉장히 기분 좋습니다. 다시금 축하드리며 합격수기를 시작합니다.

(2) 준비 시작과 진로컨셉 설정

3학년 초 내원한 우리 학생은 진로에 관해 목표가 확실하지 않아 가능성 분석 및 면담을 통해 진로설정부터 시작했습니다.

학생들과 상담하다 보면 최상위권의 학생들도 진로목표를 정밀하게 정하지 못하는 경우가 많습니다. 학생이 특별히 목표의식이 없어서 그런 것이 아니라 너무 여러 가지를 잘하고 소질이 있거나 진로에 대해서 명확히 생각할 기회와 시간이 부족해서 생겨나는 것인데요. 이 때 적절한 진로 관련 면담과 학습은 학생이 목표 정하는 것을 도와주고 학습동기를 확실히 할 수 있게 돕습니다.

우리 학생도 성적은 최상위권이어서 학원과 자기주도학습을 통해 국,영,수,사,과 중심의 학습에는 익숙했지만 진로컨셉을 바탕으로 자기주도적 역량과 진로역량을 어필해야 하는 자사고 입시는 생소하기에 전문적인 도움을 구하기 위해 찾은 것이었습니다.

기초자료를 중심으로 학부모님과 지금까지의 역량을 확인했고 학생과 함께 기초, 심층면담을 통해 정확한 진로컨셉을 세우고 목표와 동기를 확실히 하여 진행했습니다.

(3) 용인외대부고 등 자사고의 특성

많은 학부모님들께서 학교의 특성에 대해서 질문을 많이 하시는데요. 자기주도전형이기에 준비에 있어서 특성이나 차이는 없다고 말씀드립니다. 하지만 오랜 기간 진학을 성공시키고 데이터가 쌓이다보니 확연히 보이는 경향성, 인재상은 약간 보이기 마련이라 자사고인 용인외대부고에서 원하는 경향과 인재상에 맞게 진로 컨셉과 주제를 설정했습니다.

그래서 우리 학생은 경제 관련된 컨셉 중심으로 잡되, 인접 컨셉 및 다양한 세부 컨셉주제를 설정하고 지도를 통해 보완해서 역량으로 구체화했습니다.

(4) 준비1 : 상당히 전문적인 진로 컨셉

어떤 식으로 학생의 역량을 구체화 해줄 지 정한 후에는 진로 주제를 세분화시켜 지도하는 것에 초점을 두었습니다. 지도 틈틈히 학생과 면담, 소통을 많이 했습니다. 본인이 관심 가고 하고 싶은 주제 중심으로 주제를 선정했고 무엇보다 학생이 행복하게 미래를 준비하도록 도왔습니다.

많은 분들이 자사고에 관한 전문적인 준비(컨설팅)의 필요성에 관해 물어보시는데요. 외고, 영재고, 자사고는 자기주도전형으로 진행되기 때문에 진로컨셉이 명확해야 하며 본인의 준비과정이 들어가야 합니다.

그렇기 때문에 일반적인 중학교 과정의 교과학습만을 어필한다면 어필할 내용도 부족할 뿐더러 진로와 교과가 어긋날 때도 많고 비교과 부분이 제대로 어필이 안됩니다.

물론 이 부분을 학생이나 학부모님이 별도로 준비하는 방법도 있지만 이 내용이 교과과정 외의 진로목표 분야이거나 심층적인 부분이 많고 입시실전 노하우가 필요하기 때문에 용이하지 않아 관련 전문가가 필요한 것입니다.

(5) 준비2 : 자기소개서 수준과 준비과정

최근 용인외대부고를 비롯한 자사고의 입시 경향과 강조점을 중심으로 진로컨셉, 진로 구체화작업을 했고 오랜 기간 지도를 통해 자기주도역량과 진로역량을 학생에게 체화, 함양시키고 그대로 이어 자기소개서 첨삭 확인과 면접준비를 진행했습니다.

자기소개서 수준에 대해서 궁금해하시는 분들이 많습니다. 용인외대부고를 포함한 자사고, 외고는 대부분의 생각과는 달리 자소서의 수준이 상당히 높습니다.

학교에서는 너무 어렵게 쓰면 외부의 도움을 받은 것이므로 불합격한다하여 많은 학부모님들께서 결정하기 어려워하시므로 사실 많은 문의가 이뤄집니다. 사교육전문가들에 의해 자기소개서 지도나 첨삭으로 이뤄져 높아지기도 하겠지만 그보다는 합격선에 가까운 학생들의 경우 전국 최상위급의 역량을 가지고 있기에 높은 수준의 자소서를 써낸다는 것으로 이해해야 합니다.

즉, 사교육 여부를 받았는지가 중요한 것이 아니라 학교에서 원하는 정도의 적합한 수준을 갖추고 어필하는 것이 중요하다는 것입니다. 그래서 저는 학생들 스스로 이 수준, 즉 해당 자사고 에서 원하는 역량을 맞추도록 돕습니다.

과정에서 진로역량이나 자기주도역량을 향상하게 학생을 돕고 자극시키며 노력을 통해 맞추게 돕는 것이죠. 그러면 자기소개서에 쓸 내용도 생깁니다. 함께 그 컨셉주제를 같이 따라가며 공부하고 지도합니다. 합격을 향하는 길을 알기에 제가 학생과 밀착해 걸으며 함께 그 길을 같이 가주는 것입니다.

(6) 준비3 : 면접

입시에 있어서 매년 학생, 학부모님께서 원하시는 학교에 합격시키는 것이 제게 가장 큰 목표입니다. 합격에 빈틈이 없도록 오랜기간 같이 준비하며 하나하나 면접의 답을 같이 확인하고 질의와 답 구성을 돕습니다.

이 때 면접 시간 카운팅 뿐만 아니라 답의 구성과 내용까지 꼼꼼하게 체크합니다. 물론 제게도 어렵고 힘들지만 항상 이 일대일 도제 방식을 적용하여 제대로 케어하고 있으며 이 또한 매년 기록하는 높은 합격률의 이유라고 생각합니다.

(7) 합격의 가장 큰 비결 : 학부모님의 신뢰

항상 그렇듯이 이번 합격한 학생의 경우에도 학부모님께 가장 고생하셨다는 말씀을 드렸습니다. 용인외대부고를 포함한 자사고 합격을 위해 가장 중요한 것은 학생의 노력과 믿음, 학부모님의 관심과 신뢰, 강사의 능력과 열정이라고 생각합니다.

이 중 학생의 노력이 가장 필수적이지만 합격에 가장 중요한 것은 학부모님의 신뢰입니다. 아무리 좋은 구슬이라도 꿰어야 보배이듯이 좋은 역량을 갖춘 선생님을 옆에 두고도 신뢰하고 있지 않으면 의미가 없기 때문입니다.

자사고 입시 자체가 최상위권들이 경쟁하는 치열한 정신적인 과정이기 때문에 신뢰를 주시되, 강사가 지도 외에 전혀 스트레스를 받지 않고 학생의 지도에만 몰입할 수 있는 환경을 만들어 주는 것은 중요합니다. 이런 여건을 만들어주신 학부모님께 다시금 감사드립니다. 더불어 축하드립니다.

합격사례 : 2024학년도 안양외고 합격

최근 수년간 외고의 경우 미달이거나 경쟁률이 거의 없어서, 비록 진학면에서는 의미가 있지만 진학컨설팅의 관점에서는 큰 의미가 없어서 홍보와 소개를 안하고 있었습니다. 하지만 바뀐 입시상황속에서 2024학년도부터 경쟁률이 상당했고 앞으로도 높은 경쟁률을 유지할 가능성이 높습니다.

(1) 준비시기

우리 학생은 면접 문항지를 작성하고 준비하는 때에 오게 되었는데요. 좀 늦긴 하지만 이 시기에 오더라도 안 온 것과는 전혀 다른 결과를 가져올 수 있기에 합격에 큰 영향을 미칩습니다.

게다가 면접의 경우, 지도 전과 이후 스피치 자체가 달라지며 컨설팅 지도의 성과는 합격에 직결되고 곧장 나오는 경우가 많아 본인, 학부모님께서도 이것이 합격에 굉장히 큰 영향을 미쳤다는 것을 바로 알게 됩니다.

(2) 면접 문항지의 작성과 답의 구상

우리 학생은 학습능력이 굉장히 우수하고 좋은 자질과 잠재력을 갖춘 학생이었습니다. 준비를 하면서 매년 경험하게 되지만 이런 좋은 학생들도 외고와 자사고의 자기주도전형을 잘못 이해를 한다면 실력 외의 이유로 실패할 수도 있겠다는 생각을 많이 합니다.

면접만 보더라도 문항의 질의와 답변이 원하는 바를 정확히 파악을 해야 하고 적절한 시간, 답을 구성하여 이야기를 해야 하는데, 이것에 대한 예시와 훈련이 이뤄지지 않아서 흡사 무기 없이 전쟁터에 가게 되는 것과 비슷한 상황에 처하게 되는 것이죠.

우리 학생도 일반적인 학원은 다녔지만 혼자서 고군분투하면서 준비하다가 다행히도 학부모님께서 막판에 문제점을 확인하시고 추천하여 제 지도를 통해 문제를 해결하게 되었습니다. 지도를 통해 면접에서 강조해야 하는 답변의 방향과 방법, 시간에 맞춰 답을 구성하는 법을 알게 되었고 바로 확인 연습하며 합격으로의 길로 가게 되었습니다.

특히 저는 학생들의 답을 듣고 내용과 형식 모든 측면에서 논박합니다. 실제로 답변이 좋은지, 나쁜지만 언급하지 않고 어떤 것이 좋고 어떤 점을 '어떻게' 개선해야 할지. 적절한 솔루션을 제시하는 것이 효과가 큽니다.

(3) 보람과 디테일의 중요성

굉장히 단기간 지도한 학생들은 저의 성과라고 말하기 조금 민망합니다. 단기적으로 합격의 결과를 얻더라도 그것은 저의 힘이 아닌 과정에서 학생의 노력, 학원의 관리, 학부모님의 애정, 학교와 학교선생님의 관심이 결합된 결과라고 보는 것이 옳기 때문입니다.

하지만 매년 굉장한 경쟁에서 최후의 핵심적인 열쇠와 디테일이 합격을 결정되는 경우를 많이 보게 됩니다. 그런 점에서 제가 함께 만들어 준 것 같아서 매우 보람있고 기쁩니다. 당연히 준비한대로 면접 문항 역시 100% 일치하게 되었고 그대로 좋은 성과를 내어 주었습니다. 좋은 성과를 낸 우리 학생 정말 자랑스럽고 믿음으로 함께 해주신 학부모님께도 감사말씀드립니다.

합격사례 : 2024학년도 과천외고 합격

외고의 경우 2024학년도에 지원자가 급증하여 최근 몇 년과는 달리 경쟁률이 상당히 생겼고 상당히 열세인 상황이라 저까지 많이 긴장했는데 과천외고에 합격하게 되었습니다. 기쁜 마음, 감사한 마음으로 소개합니다.

(1) 준비시작과 배경

우리 학생은 오랜 외국 생활을 하며 외국생활과 문화에 더 익숙한 학생이었습니다. 하지만 한국을 좋아해서 한국에 살고자 했고 그런 학생의 요청을 받아들여 가족들 모두 귀국을 결정했다고 하는데요.

하지만 늦게 전학을 오게 되어 학교생활기록부 어필사항도 별로 없고 성적에도 불안요소가 있어서 관련된 컨설팅 지도와 조언이 절실했던 학생이었습니다. 귀국을 결정한 소중한 마음에 더 정이 갔고 반드시 합격을 도왔으면 했던 학생입니다.

(2) 동기목표 구체화

학생의 진학 동기를 구체화하기 위해서 학교생활기록부 분석 외에 심층면담 또한 진행했는데 그를 통해 점차 진로동기와 목표를 명확히 정했습니다.

우리 학생은 외고 진학을 통해 어학분야에 활약하며 한국과 외국의 문화적 가교역할을 하고자 하는 바람이 있었고, 이렇게 진로 진학 컨설팅을 통해 과천외고로의 진학취지에 맞는 장래희망을 확정하게 되었습니다.

일단 목표가 명확히 정해지자 막연하고 실타래로 얽혀있던 준비과정이 구체화되기 시작하였고 학생의 희망을 외고와 자연스럽게 연결지으니 학생 또한 즐겁게, 동기를 갖고 고입을 준비하기 시작하였습니다.

(3) 지원가능 성적에 관해서

학부모님들과 상담을 해보면 다니는 국어, 영어, 수학 학원에서 성적이 어려우므로 외고진학은 꿈도 꾸지말고 일반고 진학을 생각하라고 많이들 말씀하셔서 걱정들을 하십니다.

이 책을 쓰고 있는 저 또한 자사고 전문컨설턴트 이전에는 영어, 수학과목 고3까지 강사로 지도했지만 사실 전문이 아닌 부분은 말씀들을 아끼셔야 한다고 생각합니다.

자사고, 외고 입시에 있어 결코 불가능한 것은 없습니다.

물론 지원 및 경쟁 상황에 따라서 달라질 수 있기에 합격선은 쉽게 단언하지 않습니다. 하지만 1단계 컷 이내에 들어갈 수 있다면 준비 정도에 따라 얼마든지 결과가 달라질 수 있습니다.

오히려 과목간 성적기복이 있을 때 일반고 진학은 독이 될 수 있습니다. 영어 등 어학능력의 바탕이 좋다면, 자신만의 강점을 외고에서 특화시키는 것이 향후 대입전략에도 유리하기에 전 과감히 도전하라 말씀드립니다. 우리 학생과 학부모님께서도 많이 불안해 하셨는데 저의 조언과 학생의 강한 의지로 과감히 도전해 성공한 경우입니다.

(4) 진로 컨셉 및 주제 구체화활동

우리 학생은 다행히 평소 본인이 무엇을 좋아하는지 잘 알고 있고, 또 준비를 열심히 한 경우라서 그것을 중심으로 진로 컨셉을 설정, 주제를 구체화하였습니다.

지도 중간중간 인터뷰를 굉장히 많이 했고 관련해서 확장, 심화 주제를 제가 별도로 정리해주는 방식으로 내용정리를 도왔습니다. 그 외에 부족한 학문적인 부분은 정선된 자료를 별도로 제공하여 자기소개서 소스와 면접 답구성에 도움이 되도록 했습니다.

(5) 자기소개서와 면접준비

보통 학교생활기록부 진단, 자기소개서 진단 및 첨삭, 면접준비를 하다보면 관련된 일련의 과정이 유기적으로 엮여야 하는데 그것을 잘 활용하지 못하는 것을 많이 보게 됩니다.

즉 학교생활기록부의 활동 중 어필할 수 있는 것, 외고, 자사고 등지에서 특히 주목하고 있는 부분을 살려서 자기소개서의 주요 컨셉으로 잡고 이를 면접에서 어필해야 하는데 그것이 잘 안되는 것이죠.

많은 학생들이 국어, 영어, 수학관련 학원에서 조언을 받아 관련 과목에 치중하여 기술되는 경우가 정말 많이 하는 실수이고 무엇보다도 소재발굴에 실패하여 진로를 매끄럽게 연결시키지 못해 생기부, 자소서, 면접간 전체적인 유기성이 떨어지는 경우도 많이 보게 됩니다.

물론 우리 학생은 비교적 이른 시기에 지도, 조언을 받아 전과정을 함께하여 이런 시행착오나 문제 없이 진행하였습니다.

저는 고입 자사고, 외고, 국제고 준비학생들의 경우 면접 내용확인 및 피드백 뿐만 아니라 답 시간 체크, 답구성까지 신경써주고 있는데요. 우리 학생의 경우, 실제 면접에서 이번 면접과정에서 준비한 그대로 100% 나왔다고 하여 더 큰 보람을 느꼈습니다.

(6) 합격의 보람

저는 고입 자사고, 외고, 국제고 과정외에도 대입 입시과정도 오래 지도하였고, 대입 수시를 준비하는 많은 일반고, 자사고, 외고, 특목고 학생들도 상담 및 지도 했기에 어렴풋이 이 학생이 어느 유형의 학교에 맞는지도 보입니다.

우리 학생은 한국이 좋아서 오히려 문화적으로 낯선 상황속에도 부모님을 설득하여 귀국하였고, 외고에서 더 깊이 있게 언어를 연구하고 싶어하여 막상 가게 되면 잘 적응하여 활약할 학생이라 합격의 보람이 그 어느 때보다 더 컸습니다.

이 해에 마지막까지 관리한 고입 대비 학생들 모두 한 명도 빠짐없이 용인외대부고를 포함한 자사고, 경기도 소재 여러 외고 등지에 전원 합격하여 기분이 너무 좋았습니다.

인연을 맺고 지도한 학생들이 앞으로도 더 나은 방향으로 갔으면 해서 매년 합격과 불합격에 관계없이 발표 이후 그간의 고생을 위로하고 격려하며 새학기 일대일 진로상담을 무료로 진행하고 있습니다.

학생과 학부모님과의 인연을 학생의 미래를 위한 길로 끝까지 연결시켜 도움드리려 노력하고 앞으로도 그러겠습니다. 어려운 상황속에서도 가능성과 제 말을 믿고 도전한 학생, 그리고 전폭적인 신뢰 보내주신 학부모님께 감사드리며 다시금 합격 축하드립니다.

합격사례 : 2023학년도 용인외대부고 합격

(1) 용인외대부고 합격

자사고의 경우, 2022년도에 불확실성이 많이 없어져 갔기에 입시에서 많은 학교에서 경쟁률이 상승했습니다. 특히 이 해 전국 최고의 학교 중 하나인 용인외대부고의 전국단위 3.5대 1의 치열한 경쟁률을 기록했는데요.

특히 우리 학생의 경우, 처음 학교선정에서부터 컨셉결정, 준비과정까지 함께 하고 합격하여 기쁨이 더 컸던 것 같습니다. 그럼 이 사례를 설명하며 어떻게 자사고를 대비해야 하는지 노하우와 준비방법을 공유하겠습니다.

(2) 진로컨셉의 중요성

자사고, 외고, 국제고를 준비할 때 중요한 것은 적절한 컨셉과 준비입니다. 우리 학생은 컨셉 준비가 좀 늦었고 전문교과 학습이 덜 되어서 학생의 특성을 잘 살리면서도 학교에서 원하는 인재상으로 맞추려 노력했습니다.

획일적인 준비를 지양하고 학생의 장점을 극대화하여 승부하고자 마음먹고 초기 단계부터 철저히 진로컨셉을 짜고 기획하여 준비하는 방식으로 승부했습니다. 즉 무리하면서 다른 학생들, 성공사례를 따라가기보다는 '다른 학생과 굉장히 차별적으로 학생의 특성에 전문역량을 집중적으로 학습시키는 전략'을 채택한 것입니다.

(3) '학군지'이어야 하나? 어느 곳이라도 충분히 가능.

우리 학생이 속한 중학교는 좋은 학교이고 평촌학원가와 학습권역은 공유하기는 하지만 평촌과 정보, 주목성 면에서 조금 차이가 있기에 주변 경기도 의왕, 과천, 군포, 산본, 안양, 동탄 등 인근지역 중학교와 마찬가지로 우수한 학생들이 보다 충분히 좋은 기회를 얻을 수 있음에도 그냥 일반고에 진학하는 경우도 많습니다.

잠시 자사고 등 진학과 학군지의 관계에 관해서 말씀드리는 내용인데요. 이 글을 비롯하여 많은 입시전문가의 글을 보고 많은 분들이 고민하실 겁니다. 의견들이 분분하실 수도 있지만 제 오랜 경험상 용인외대부고 뿐만 아니라 자사고, 외고, 국제고 입시에서 중요한 것은 '어떤 컨셉으로, 어떤 역량을 가지고, 어떻게 준비했나 하는 것이냐.'이며 '중학교, 학군지 여부가 절대적인 영향을 미치는 것은 아니라는 것'을 말씀드리고 싶습니다.

물론 실제 좋은 기초가 잡힌 중학교의 학생의 경우, 정보취득이나 준비, 기타 학습 자극적인 면에서 굉장히 유리하긴 하지만 흔히 말하는 '학군지' 외의 외곽지역이라 해도 지레 '안될 거야'라고 생각하고 미리 포기할 필요는 없습니다.

이런 부분은 학생의 역량, 노력과 컨설턴트의 지도역량, 학부모님의 신뢰로 충분히 극복가능하다는 것을 말씀드리고 싶습니다. 중요한 것은 도전과 선택입니다. 초기 상담을 왔을 때부터 제가 자신감을 심어드렸고 학생, 학부모님 모두 후회없이 노력하고 싶다고 하여 용기있게 도전하고 응전하여 정말 잘 풀린 케이스입니다.

(4) 자기소개서의 중요성

용인외대부고가 문이과 전형이 통합되고 공통문항이 사라짐에 따라 자기소개서와 면접이 더욱 더 중요하게 되었습니다. '오픈북' 시험처럼 본인의 역량을 자기소개서에 쓰고 그것을 그대로 면접과정에서 검증받기 때문이죠. 그렇기 때문에 용인외대부고의 인재상에 맞는 자기소개서를 구상하고 그것을 적극적으로 풀어내는 역량이 중요합니다. 평가의 시작은 좋은 자기소개서이며 세심하게 전문 역량을 토대로 굉장히 열심히 준비해야 합니다.

(5) 면접의 중요성

용인외대부고의 면접의 경우, 특히 자기소개서의 역량과 본인의 실제 역량을 잘 연결시켜야 하고, 원하는 인재상에 가까운 대답을 구상하여 답해야 합니다. 우리 학생의 경우, 반복하여 예상되는 문항을 생각하고 같이 고민하여 적절한 대답을 구상하는 형태로 준비한 것이 합격에 중요한 역할을 했다고 생각합니다.

결국, 면접 질문은 전 문항 정확히 적중했으며 자기소개서와 함께 학생의 합격에 결정적인 역할을 했습니다.

(6) 신뢰의 중요성

매번 학생들의 합격을 접하면서 가장 먼저 드리는 말씀은 학부모님의 지원과 지지가 없었으면 합격과 성공이 어려웠을 것이란 점입니다. 이것은 제 진심이며 사실입니다.

자사고 진학교육은 강사의 실력이 굉장히 중요합니다. 하지만 같은 합격, 불합격이라도 지도강사와 학생의 역량과 상황에 따라 얼마간 다소 변수가 있어 실력과 합격을 일반화하기 어렵습니다. 그래서 누가 진정 실력있는 컨설턴트인지 확인하기 어렵습니다. 그렇기에 오랜 기간 검증받은 경우가 아니면 강사의 실력측정이 어려워 전적으로 '신뢰가 중요한 영역'입니다. 선생님의 실력을 믿고 학생이 잘 따르며 학부모님의 절대적 신뢰와 판단이 중요한 부분입니다.

우리 학생도 '다른 이들이 다 가는 평범한 선택을 할까.' 하는 여러 선택의 순간이 있었으리라 생각합니다. 그 때 저를 전적인 신뢰로 믿어주시고 학생 역시 잘 따라줘 합격하게 된 것 같아 감사합니다.

특히 용인외대부고는 최고의 자사고 중 하나인 만큼 주변에 좋은 정보를 구하기도 어렵고 제대로 지도해주는 컨설턴트도 찾기 어렵습니다. 그래서 학부모님이 믿어주시고 학생이 함께 만든 비전과 목표를 믿고 확신하며 시작하여 끝까지 잘 따라주고 결과까지 좋아서 너무 보람 있었습니다. 이렇게 제가 전적으로 처음부터 끝까지 개입하여 성공한 케이스는 더 특별한 보람으로 다가옵니다.

좋은 학생을 좋은 시기에 지도하여 함께 미래를 열어갔다는 것에 큰 보람과 감사함을 느낍니다.

합격사례 : 2023학년도 수원외고 합격

(1) 시작

이번에 지도하여 합격한 학생은 제가 평소에 알고, 친하게 지내시던 분의 자녀였습니다. 어머님과 학생이 수원외고 관련 자료를 찾았고 본격적인 상담 후 이야기를 나누다 아버님과의 인연을 알게 된 경우입니다. '세상이 정말 좁다'는 것을 실감했습니다. 모든 학생들이 마찬가지이지만, 학생의 아버님과 아는 사이이기에 더 조심스럽게 최선을 다했습니다.

(2) 수원외고의 특성

2023학년도 당시에는 사립 외고가 전반적으로 경쟁률에 있어서 약세를 보였지만 수원외고의 경우 공립이며 학교 시설, 학비 등 기타 좋은 점이 많아서 대부분의 과에서 자기소개서 및 면접 등의 과정을 거쳐 합격이 결정되었습니다. 게다가 러시아어과 같은 수원외고 만의 특성적인 학과도 있었습니다.

하지만 다른 외고의 경우처럼 수원외고 역시 경쟁률이 있더라도 성적에서 반영과목이 영어, 국어, 사회 등 인문과목 성적으로 제한되어 있기에 해당 영어, 국어, 사회 등의 과목이 어느 정도만 나와준다면 자기소개서와 면접을 통해서 지원하는 교과성적의 열세를 충분히 만회가능합니다.
(윤성쌤 주: 2024학년도 이후의 외고강세속에서 수원외고는 공립외고로써 다른 앞의 장점으로 다른 사립외고들의 경쟁률보다 높은 경쟁률을 보이고 있기에 다른 수도권 외고보다 지원, 준비에 더 유의하셔야 합니다.)

(3) 준비

우리 학생은 경쟁이 있어도 반드시 수원외고 관련학과에 가겠다는 확신이 컸기에 추후 학부모님, 학생과의 상담을 통해 진학목표를 정하게 되었습니다. 다만 진로컨셉을 더 확실히 하고 자기소개서와 면접에 미리 더 신경을 쓰려 노력했습니다.

올 당시에는 여느 학생들과 다름없이 학교생활기록부만으로는 학생의 잠재역량, 진로목표와 노력의 과정을 담아내기 어려웠습니다. 그래서 별도로 진로탐색활동과 진로심화활동을 하여 역량을 만들어갔고 확고한 본인만의 인재상을 그려 나갔습니다.

(4) 유의점

외고의 경우 전공어학부분의 학과로 지원하고 평가받기 때문에 본인의 장래희망을 외고에서의 학과과정, 커리큘럼과 어떻게 연결시키느냐가 관건입니다. 본인의 전공역량을 어필하되, 그것이 외고 진학을 통해 더 발전할 수 있음을 보여야 합니다. 이것은 굉장히 중요한 포인트입니다.

조력을 통한 컨설팅이나 본인의 노력으로 진로탐색을 하지 않으면 이것이 매끄럽게 연결이 안되고 단순한 중학교 교과, 비교과 학습과정 나열, 학습법소개, 추상적 진로계획 등에 머무를 가능성이 큽니다. 그렇기에 다른 학생들과 구분되는, 확실히 좋은 인재상을 만들고 관련된 지식을 학습하는 일련의 활동을 하며 준비하였습니다.

(5) 외고의 전망과 가능성

외고의 경쟁률과 위상이 사실 당시에는 표면적으로는 예전같지는 않았습니다. 하지만 그것은 그 자체의 원인보다는 주로 어학부분의 위축, 이공계열의 진로강화, 학령인구의 감소등 외생적인 원인이 큽니다. 하지만 이런 상황속에서도 분명 인문, 사회계열 학문은 필요한 것이고 정치, 경제, 문화, 행정, 국제 분야의 인재는 이 사회에서 지속적으로 요구됩니다.

게다가 현재는 많은 불확실성이 사라지고 관련 법령 개정으로 앞으로 국제계열, 경제계열 부분을 결합하여 커리큘럼에 적극반영하는 것이 가능해져 전망과 가능성이 더 좋아졌습니다.

그렇기 때문에 현재 수학과 과학성적이 안 좋더라도 외고에 진학하여 본인의 인문, 사회적성을 발휘하며 제 4차 산업혁명시대에 필요한 정보역량을 더한다면 오히려 지금이 더 큰 기회가 될 수 있습니다.

오늘 소개해드린 수원외고를 비롯한 외고나 국제고 등은 오랜 전통과 좋은 커리큘럼, 교수, 지도역량을 통해 학생들을 더 발전시킬 수 있기 때문입니다. 그렇기 때문에 그냥 일반고에 만족할 것이 아니라, 오히려 중학교 현재 성적이 좀 더 떨어지더라도 영어, 국어, 사회 등 어학, 사회, 국제 분야에 더 관심을 갖고 열심히 하고자 하는 학생들에게는 기회가 될 수 있습니다.

(6) 합격과 마무리

지인분의 자녀이기에 처음에는 오히려 사양했지만 지속적인 신뢰를 보여주셨고 전문가로의 자신감 또한 있었기에, 중요한 진로의 갈림길에서 '길을 열어주자.'는 마음에서 용기내어 어렵사리 맡아 최선을 다해 지도했습니다.

결국 학부모님의 신뢰, 학생의 노력, 강사인 제 열정이 합쳐져 합격이라는 좋은 결과를 얻게 되니 더 큰 기쁨으로 다가오게 되었습니다.

나중에 학부모님께서

'이번 경험을 통해서 학생 스스로 진로, 적성, 장래희망에 대해서 생각하고 스스로 열심히 하려는 노력을 보이기 시작했고 합격과 불합격에 상관없이 컨설팅을 받는 것, 그 자체만으로 너무 좋은 과정이었고 경험이었다.'

고 말씀해주셨습니다.

사실 합격은 이러한 과정의 결과물로 자연스레 나오는 것이며 이런 생각으로 지도를 하고 있기에 제 마음을 알아주시는 이런 말씀을 듣고 정말 큰 보람을 느꼈습니다.

다시 한 번 합격하신 학생, 학부모님 축하드립니다.

합격사례 : 2023학년도 전주상산고 합격

제가 가르친 학생에 관한 전주상산고 합격사례입니다. 전주 상산고는 수학과 과학을 강조하고 높은 진학률로 유명하여 많은 학생들과 학부모님들이 가고 또 보내려 하는 학교입니다.

(1) 시작 : 컨셉설정과 전형분석

작년 자사고 입시에 합격한 학부모님의 소개로 온 우리 학생은 수학과 과학에 좋은 자질과 흥미를 보였고 여러 활동을 활발하게 했습니다. 하지만 대부분의 최상위권학생들이 그러하듯이 여러가지 컨셉이 가능하여 오히려 체계적으로 하나로 묶어서 컨셉을 잡아야 했고 중요한 활동과 그렇지 않은 활동을 구분하며 줄기를 세워 갔습니다.

영재학교, 과학고 및 수학과 과학에 중점을 둔 학교들을 포괄적으로 확인했고 학생의 적성과 능력 그리고 학교의 인재상에 따라 상산고를 목표학교로 정하게 되었습니다.

이후 학교 특성에 맞춰 학생의 활동과 준비사항을 점검했습니다. 전주 상산고는 자기소개서와 면접을 통해 선발하며 특히 면접은 수학과학면접과 독서인성면접으로 나뉩니다.

실전에서 수학, 과학면접은 교과 단원 문제를 주고 그것을 설명해서 풀라고 하고, 독서 인성면접은 주로 자기소개서에 적힌 내용을 중심으로 진로 탐구과정을 묻고 독서활동에 쓰인 부분을 심층적으로 묻게 됩니다. 그래서 학생, 학부모님과 함께 관련된 준비에 만전을 기했습니다.

(2) 자기소개서 준비

자기소개서의 내용은 주로 어떤 방식으로 학습했는지를 중점적으로 묻습니다. 자사고는 학교마다 개성이 있지만 전주 상산고의 경우, 관련된 부분의 학습과정을 집중적으로 적도록 자기소개서 양식구성이 되어 있습니다.

굳이 표현하자면 학생의 실력을 노골적이면서도 확실하게 묻습니다. 어쨌든 이를 통해 일관적으로, 연결된 학업역량을 평가합니다.

또 자기소개서의 독서한 책 중 3가지를 골라 그것을 읽은 감상을 써야 하는 것도 중요한 부분입니다. 이것은 과거 서울대 대입수시전형에서 자기소개서양식으로 사용했던 방식인데, 결국 자기주도적 학습역량을 파악하면서도 학생이 어느 부분에 중점을 두고 자기 진로로드맵을 구상하고 추후 확장할 수 있는 지 알게 해줍니다. 특히 이 부분을 통해 지원학생의 사고력의 폭도 알 수 있습니다.

이 부분에서 절대 선행과 성적 같은 외형적인 면을 드러내는데 초점을 두면 안 됩니다. 관련 개념의 확장성, 심화성, 연결성 등 사고력과 통찰력 등을 보이는 방식으로 기술해야 합니다. 자기소개서양식에서도 알 수 있듯이 절대 느슨하거나 추상적, 천편일률적인 형태로 접근하면 안됩니다.

(3) 면접준비 : 수학, 과학 면접

평소 학교 교과목을 충실히 공부하면 되는 부분입니다. 하지만 가능하다면 별도의 연습과 준비가 필요합니다. 개인적으로 생각할 때, 단원별 심화학습 중심으로 개별적으로 공부를 하면 된다고 생각하지만, 만전을 기하기 위해 시간 등 여유가 된다면 과학, 수학 면접 관련 커리큘럼을 지도하는 학원가의 대형 전문 수학, 과학학원에서 학습하면 더 좋다고 생각합니다.

(4) 면접준비 : 독서인성면접

상대적으로 상산고의 경우, 수학과학 면접 때문에 이 독서인성면접이 과소평가되기 쉬운데 실제 입시를 경험해보면 이 부분의 비중이 매우 크다는 것을 알 수 있습니다. 자기소개서 문항 자체가 학습경험 자체에 집중해서 묻는 방식이고 3권의 각 독서 감상 자체가 300자 분량으로 적지 않은 분량이기 때문입니다. 이 부분을 독서인성부분에서 묻는데, 전문가들은 이 포인트에서 학생의 잠재력과 핵심역량을 봅니다.

상산고는 자기주도전형의 실제 운용이나 진로에 있어서 학생들의 수학, 과학 부분에 중점을 두고 있기에, 오히려 역설적으로 독서인성면접이 합격의 변별을 낼 수도 있다는 것을 명심해야 합니다. 미세한 차이속에서 이 포인트에서 당락이 판가름 날 수도 있습니다.

(5) '자신에게 맞는 학교'란

자사고 고입을 준비할 때, 자기주도전형의 경우 진로로드맵을 확실히 하고 이후의 대비는 큰 차이가 없습니다. 하지만 학교선정과 관련된 부분은 아무래도 학부모님, 학생 모두 신경이 쓰이고 신중합니다. 원하는 학교를 지원할 지, 자신의 역량에 비추어 결정할지, 학교의 역량과 성과에 따라 지원할지, 여러 고민을 합니다.

어떤 선택과 전략을 택하든 저는 진정 중요한 것은 '학생이 본인의 역량을 펼쳐 나갈 수 있는 학교를 선택하는 것' 이라 생각합니다. 중요한 것은 본인이 하고 싶은 것을 공부하고 그 곳에서 대입과 나중의 진로까지 구체화하는 것이기 때문입니다.

(6) 마무리

우리 학생과 함께 첨삭을 하면서 굉장히 좋은 진로 키워드와 학습역량 키워드를 만들어 냈습니다. 학생 스스로 평소 쌓아둔 기초가 되는 과학, 수학공부를 열심히 한 경험이 큰 도움이 되었던 것입니다. 비록 제 도움과 조언으로 최종적인 형태가 엄청나게 진화, 발전했더라도 모든 키워드의 뼈, 뿌리는 학생에게 시작된 것입니다. 그런 점에서 학생에게 '결국 네가 한 것이고 네 것이니 앞으로 잘 발전시켜 나가라.'고 전하며 합격을 같이 축하해줬습니다.

자사고를 합격한 후에도 학생을 자극하고 발전시키는 몫까지 컨설턴트는 해야 한다고 생각합니다. 대입과는 조금 달리 고입은 이러한 자원과 능력, 자신감을 바탕으로 고등학교에서 더 열심히 갈고 닦아 대학과 미래를 준비해야 하기 때문입니다.

열심히 믿고 따라와 준 학생, 전폭적인 신뢰 보여주신 학부모님께 이 책을 통해 다시금 감사드립니다.

어떤 길로 가야 행복할까?

합격사례 : 2022학년도 용인외대부고 합격

이 해에도 전국 최상위권학생들이 3대 1의 경쟁률로 치열하게 경쟁하였는데요. 진학목표, 학교 선정에서 최종과정까지 내내 함께 했던 학생이 용인외대부고에 최종합격하였습니다. 진심으로 축하드립니다.

대부분의 커다란 도전이 그러하듯이 우리 학생 역시 정신적으로 힘들고 또 어려워하던 순간이 있었지만 학부모님과 제가 그럴 때마다 옆에서 이야기를 들어주고 또 용기와 자신감을 심어줘서 좋은 결실이 있었습니다. 입학, 합격을 위해 무엇이 필요할 지 말씀드려 보겠습니다.

(1) 진학동기와 학교결정

우리 학생은 첫 상담 당시 아직 학교와 진학동기가 선명하지 않은 상태였습니다. 학생, 학부모님의 의사에 따라 자율적인 분위기에서 공부했고 학업 중심으로 정진했으나 3학년이 되어 좀 더 명확하게 진로목표를 세운 후 합격을 위해 노력하고자 컨설팅한 케이스였습니다.

처음부터 학생 현 상황확인과 컨셉을 잡아야 했기에 오랜 기간의 진로진학 노하우로 만들어진 커리큘럼에 따라 기초평가와 심층면담을 통해 학생이 진짜 원하는 진로가 무엇이며 그 간 어떤 활동을 했는지 들으려 노력했습니다.

학생이 했던 활동, 학생의 가치관, 학생과 학부모님의 진로 목표, 학생의 잠재력과 역량을 토대로 충분히 대한민국 최상위 역량의 학교인 용인외대부고를 목표할 만하다고 결정했고 의학계열을 목표진로로 방향잡기로 했습니다.

(2) 진로 목표 선명화와 확장

일단 목표를 정했지만 우리 학새이 전 영역에서 굉장히 우수한 학생이었기에 오히려 활동을 선명하게 하고 확장하기 어려웠습니다. 우수한 학생들 대부분이 그렇듯이 평소 생명공학과 의학뿐만 아니라 다양한 인문, 사회활동과 과정도 있었기에 진로 중심으로 명료하게 해야 했습니다.

즉, 활동 정리가 필요했던 것이죠. 동시에 통일적 활동과 컨셉을 중심으로 자기주도적 학습역량과 잠재역량을 보이기 위해 노력했습니다.

(3) 전략적 접근과 핵심역량

경기도 최정상권 학군지 학교를 다니며 학원가를 옆에 두고 준비하였지만 컨셉을 짜서 핵심지식으로 묶어내어 지도할 수 있는 역량을 갖춘 이는 드뭅니다. 과목별, 단원별 학습과는 달리, 자사고 입시에 적합하게 컨셉주제를 설정하고 그것을 풀어내는 것은 어려운 문제이기 때문입니다.

통찰력있게 맥락을 짚고 뚫어야 하기에 저 역시 학생과 같이 과정을 그대로 학습하고 관련 전문도서, 자료를 수 백 페이지를 함께 읽어가면서 요약하여 실제 자기주도적인 학습을 같이 보조하고 맞춰가며 진행하였습니다.

(4) 최고의 학생 지도는 최고의 선생님이

최상위권의 학생들은 학습과정에서 고독합니다. 부족한 부분이 어렴풋이 느껴져 조언을 받으려 해도 '넌 혼자서도 잘하니까.'라며 넘어갈 때가 많습니다. 또 설령 좋은 질문을 해도 학생의 사고 과정이나 문제의식을 주변 선생님께서 잘 받아주거나 이해해 주시지 못하여 잘 다듬어주지 못하기 때문입니다.

우수하지만 아직은 다듬어지지 않아 자신의 생각에서 무엇이 기발하고 우수하며 어떤 것을 문제의식으로 발굴하고 학문적으로 확장, 개발해야 하는지 모르는 학생들이 많습니다. 몰입하고 탐구하며 주변 선생님들께 끊임없이 조력을 구하지만 주변 선생님들은 그것을 어떻게 종합해주고 부차적인 것을 어떻게 정리해줄지 모릅니다.

우리 학생도 그러했기에 주변에 우리 학습내용을 물어보다가 지엽적이며 부분적인 답변만 받고 혼란스러워 했습니다. 그 모습을 보고 '선생님만 믿고 따라오라.'고, '개념들을 다 이어 같이 정리하며 도와주겠다.'고 공언했습니다. 그렇게 옆에서 바짝 붙어서 완전하고도 철저하게 준비시켰습니다.

(5) 학부모님이 학생의 진로목표와 일치할 때

학생들을 지도하다보면 학부모님들께서 동일계열의 전문직 직업, 관련 직종에 종사하시는 경우도 종종 있습니다. 그런 경우라도 저는 실력과 전문역량에서 나오는 자신감을 바탕으로 지도합니다. 이 경우 학부모님들이 대략적인 내용을 잘 아시기에 첨삭과정이나 지도과정을 확인하시는 경우가 많은데 오히려 확인하시면 만들어가는 수준에 놀라시고 흡족해하시면서 학생을 통해 매우 긍정적인 메시지를 보내주십니다.

이번에 합격한 우리 학생과 학부모님을 높이 평가하는 것은 학부모님 두 분 모두 관련 직종에 종사하시는 분들로 본인들께서 해결하려 하지 않고 관련 입시 전문가인 저를 찾아오셔서 맡기고 믿어주셨다는 부분입니다.

(6) 결국 최고로 수고한 분은 학부모님.

오랜 입시지도로 느낀 것이 있습니다. 합격은 학생의 역량만으로 결정되는 것이 아닙니다. 무수히 많은 상담을 하다보면 학생의 장래성이 밝고 충분히 잘 준비만 한다면 최상위권 학교를 노려봄직 하지만 그냥 혼자서 하다가 실패하는 경우가 많기 때문입니다.

좋은 대안에 대한 혼동, 신뢰성의 부족, 경제적 형편, 학업 동선의 문제, 미래에 대한 불안, 부족한 진로탐색 노력 등 순간의 좋은 판단을 저해하는 경우가 많습니다. 나중에 보면 이 저해 요인으로 인한 잘못된 선택, 그 자체로 학생의 역량과는 별도로 합격률이 굉장히 큰 차이가 나는 것을 봅니다. 정말 중요하고 명심하셔야 하는 포인트입니다.

즉, 영재학습 및 최상위권 학교 진학에 있어 좋은 선생님을 선택하는 것이 아이의 발전과 합격의 가장 중요한 전제조건이며 요소입니다.

최상위권 학교 입시 컨설팅을 하기 위해서는 전국 최고수준의 진로 및 컨셉 설정능력, 자기소개서 첨삭역량, 면접대비 준비역량을 갖춘 선생님이 있어야 하는데 소개받고 아는 것도 운이 필요합니다. 그리고 실제 선택할 때도 좋은 판단력과 실행력으로 학부모님께서 선택해 주시고 지속적으로 지지해 주셔야 합니다.

그러하기에 역설적으로 공부는 학생이 해도 입시와 합격에 있어서 실제 모든 성공의 공은 우선적으로 좋은 선택을 하시는 '학부모님'께 있는 것입니다.

용인외대부고 같은 전국 최상위권 자사고 등 학교를 목표로 하기 위해서는 초기에 상담을 하시는 것이 좋습니다. 족집게 강의, 지도를 통해서 합격의 운을 높이고 요행을 바라는 것이 아니라 학생에게 명확한 목표를 주고 자기주도적 학습을 도우며 성장을 돕는 것이 중요합니다.

그리하면 발전, 향상된 실력을 갖추게 되어 자연스럽게 합격선을 상회하는 수준으로 성장하게 됩니다. 비슷한 수준의 학생들이 모여 경쟁하는 입시에 있어서 방향을 모르거나 잘못 잡는 일은 정말 치명적입니다. 이런 이유로 충분히 합격할 능력과 무궁한 가능성을 갖춘 우리 아이들이 실패하는 것보다 속상한 일이 어디 있을까요?

합격사례 : 2021학년도 경기외고 합격

(1) 시작

분당에서 제가 있는 곳까지 와서 지도받고 경기외고에 합격한 학생입니다. 분당 주변 학군도 괜찮기에 좋은 강사님이 있었겠지만 블로그 글을 통해서 신뢰해주시고 다른 주변의 친구들과는 차별화된 1대1 방식의 세심한 컨설팅에 마음이 가셔서 시작한 경우입니다.

(2) 지원계열과 학교 인재상

주로 어학계열에 진로목표를 가진 다른 외고 지원학생과는 다르게 법학계열을 생각하던 학생이라 학부모님이나 학생 모두 외고지원 여부와 합격에 대해서 확신이 없던 상태였습니다. 게다가 당시 내신 점수가 지원가능 커트라인선 근처에 있어서 조금 불안감도 있던 상태였습니다.

상담과정에서 학부모님께서 말씀하시길 '주변 지역 학부모님이나 커뮤니티, 상담 교육기관에서는 '이런 법정계열 진로가 외고 진학에 불리하다.'고 분석했다며 불안해하셨고 지원해도 될지 궁금해하셨습니다. 하지만 전 당시 '외고가 어학을 중점적으로 교육하지만 진로는 그것과는 또 다른, 확장적인 면을 지니고 있기에 학생의 자기소개서 작성과 구체적인 연결컨셉 설정여부에 의해 성패가 달라질 수 있다.' 고 분석했습니다.

현재 앞으로 2025학년도 계획은 외고와 국제고의 학제 공동화, 통합까지 이야기 나오고 있어 이런 의문이 많이 해소된 상태입니다. 하지만 당시 많은 진학업체, 학원 등에서조차 '법학계열은 외고 진학이 어렵다.'고 공공연히 이야기하는 실정이었습니다.

이렇게 잘못된 정보를 믿을 때 불이익이 상당히 큽니다. 주변의 동료 학부모님들, 학원, 비전문적인 컨설팅 업체 등이 비전과 방향을 보지 않고 편견에 사로잡혀 있을 때 이런 잘못된 조언을 합니다.

제가 당시에 이게 가능하다고 생각하고 추천, 진행한 이유는 몇 가지가 있습니다. 전통적으로 외고가 법대를 많이 보내는 것, 당시

외고 동아리가 어학 분야에서 점차로 국제, 사회, 경제 계열로 확장, 응용되고 있었던 것, 문과 계열의 전반적 약화로 국제, 사회계열로의 돌파구를 외고에서도 모색하고 있던 흐름 등 이 있었습니다.

즉, 단순한 편견에 의해서 입시를 보지 말아야 합니다. 입시에 있어서 합격상, 인재상은 철저하게 학생을 선발하는 학교의 입장을 따라가야 합니다. 자사고 입시는 우수한 인재를 자원을 선발하여 다양한 분야에 진출하는 학생들을 키워나가는 것이 목표입니다. 외고라고 해서 단지 진로목표가 어학분야인 학생만 선발할 이유가 없습니다.

(3) 학교생활기록부 및 활동상 분석

우선 학교생활기록부와 학생과의 심층인터뷰를 통해서 활동상을 분석했습니다.

과정에서 불확실하고 추상적이었던 진로목표를 확실하고 구체적으로 다듬었습니다. 또 모의법정 동아리 활동 등을 근거로 의미있던 활동을 정리했고, 지망학교인 외고와의 연결활동이 부족했기에 지원 의도를 좀 더 선명하게 만들어 내고 조직하는데 중심을 두었습니다.

앞으로 외고와 국제고가 통합되면 달라질 수도 있지만 진로목표상의 연결은 외고와 국제고 간의 지원 차이의 원인이 되므로 중요합니다. 앞서 말한 것처럼 다양한 분야에 진출할 인재지만 외고에서의 경험이 어학 외의 타 분야의 진로목표에 어떤 식으로 기여를 할지 규명,, 설명해야 하는 것이죠.

이것을 염두해 두고 전략을 짜야하며, 결국 이것이 학생의 진로진학 포인트가 되고 지원동기를 넘어 자기소개서와 면접의 핵심이 된다는 것을 예상하고 있어야 합니다.

(4) 면접질문

앞서 말씀드린 연결 활동을 만들고 각종 발췌 자료를 통해 세심하게 전문지식을 갖추도록 준비시켰습니다. 굉장히 심도있는 관련 여러 이슈를 토대로 준비했고 예상대로 면접에서도 바로 이 부분들에서 질문이 나오게 되고 적중하였습니다. 여러 노렸던 부분에서 준비한대로 당연히 제대로 답하여 최종합격하게 되었습니다.

합격사례 : 2020학년도 안양외고 합격

많은 관련 블로그 글을 쓰며 합격사례를 설명할 때, 합격해서 고맙다고 한 문자를 캡처한 글을 보여 드립니다. 홍보도 홍보지만 사실 비교적 단기간 공부를 도와주는 컨설턴트 입장에서, 그러한 합격 문자마저 굉장히 고맙습니다. 그런데, 우리 학생은 합격 사실을 확인하자마자 울먹이는 목소리로 바로 전화해서 알려주어서 그 어떤 합격 나눔보다 고맙고 또 감사했습니다.

(1) 시작

우리 학생은 대부분의 우수한 학생들처럼 정말 바르고 성실한 학생이었습니다. 비교적 늦은 8월부터 와서 수개월 지도를 해보니 발전 가능성이 좋은 편이었고 성적도 상승곡선에 있었는데, 안타깝게도 자사고, 외고 입학에 중요한 진로컨셉설정과 관련 활동이 부족했습니다.

(2) 학교생활기록부 분석

장래희망이 교사였기에 외고 진학에 맞춰 컨셉을 잡으려 해도 정밀하게 드러낼 수 있는, 가시성있는 활동을 한 것이 아니라 이것을 표현하기 어려웠습니다. 외고의 경우, 영어를 다들 잘하는 학생들이므로 '어떤 방식으로 차별화할지' 학생과 많은 고민을 하였습니다.

학교생활기록부를 토대로 생각했지만, 진로에 직결하여 영향을 주는 요소가 적었기에 뭔가 임팩트있는 활동이 필요했습니다. 당연히 다른 이들과 차별화 할 수 있는 요소를 심층 인터뷰를 통해 학생의 경험속에서 발굴하였고, 반복적인 지도활동과 시행착오를 통해 확장하고 개선해 나갔습니다.

(3) 외고 진학을 위한 진로컨셉 발굴

외고 진학을 위해 어필할 특화활동을 준비했습니다. 그 외에도 진로목표를 구체화시키고 가시화시켰으며 관련된 컨셉에 부합하는 진로계획과 연구설계 등을 다 짜내고 컨셉주제 학습을 진행했습니다. 이를 바탕으로 지도를 할 때마다 지도설계서가 갱신, 확대되었고, 이것이 바로 곧 자기소개서 문항이 되었으며 면접 문항으로 구성되었습니다.

여기만 해도 상당히 좋은 결과가 있었을 텐데, 진학에 관심있는 학부모님이 전폭적으로 저와 학생을 신뢰해주셨고, 답변을 학생과 함께 체크해 주시는 등 끊임없이 신경을 써주셨습니다.

(4) 자기소개서 첨삭과 면접준비

게다가 학교선생님을 통한 첨삭도 굉장히 크게 도움이 되어 함께 끊임없이 완벽을 기했습니다. 다행히 선생님 또한 열정적이고 맥락을 잘 아시는 분이라서 학생의 원본에서 커다란 수정은 가하지 않고 제대로 피드백해 주시면서 글을 잘 살려주셨습니다. 자기소개서 내용에 맞춰서 가능한 문항 수십여개를 발췌하여 확장해 공부하며 면접을 준비하여 합격하게 되었습니다.

당연히 모든 개별문항은 모두 예상대로 그대로 적중하였습니다.

(5) 마지막 순간 합격에 있어 가장 중요한 것

진로컨셉학습, 자기소개서, 면접까지 이어지는 과정에서 중요한 것은 '학생이 이 내용을 제대로 내면화시켜서 자신의 것으로 소화

시켰나.' 하는 것입니다.

당연히 시험 이후에 결과를 기다리면서도 우리 학생이 제대로 내면화하여 면접시간에 풀어냈을까 많이 걱정하였는데요. 진행했던 진로목표, 진로컨셉주제가 모두 학생이 원하는 목표, 주제였고, 오랜 시간 진로컨셉, 자기소개서와 면접을 제대로 준비한 것이 중요한 순간에 제대로 작용하여 합격의 좋은 소식을 전하게 되었습니다.

우리 학생은 영어에 대한 강한 관심, 밝은 모습과 겸손한 태도, 그리고 좋은 실력을 갖춘반면 다른 학생에 비해 외국 생활 경험이 없고 또 적극성이 약하다고 걱정이 많았습니다.

면접에서 자신감이 정말 중요한데요. 그래서 학생이 더욱 더 세상에 멋지게 맞서서 성취할 수 있음을 보이기 위해 내내 자신감을 심어줬습니다. '진인사 대천명'이라고 사람이 최선을 다한 후 하늘의 뜻을 기다리지만 결과가 또 좋았기에 너무도 감사하고 또 저 또한 고마웠던 학생입니다.

입시에서 가장 중요한 것은 무엇일까요? 전 진심과 열정이라고 생각합니다. 열정을 다해 성심껏 노력하는 이에게 성공의 여신은 웃는 경우가 많습니다.

이 학생이 합격통지를 받고 감격에 연락을 줬던 것이 어제처럼 생생합니다. 분주한 대형마트에서 물건을 사다가 소식을 듣고 나와서 한참을 같이 즐거워하며 통화를 했는데요.

이후 입학하고도 한참을 진로에 관해 상담해 도움을 주었다가 얼마 전 '서울대학교에 합격을 했다.'며 소식을 전해줘 매우 기뻤습니다. 그래서 세월의 흐름과 더불어 이 일을 하며 큰 보람을 느끼게 해 준 감사한 학생으로 이 글을 쓰는 지금 이 순간도 기억이 납니다.

합격사례 : 2020학년도 경기외고 합격

(1) 시작

자사고, 외고, 국제고는 불합격하거나 합격하거나 모두들 마지막 순간 최선을 다하지만 결국 합격을 가르는 중요한 요인은 '얼마나 잘 제대로 준비되었는지' 였던 것 같습니다.

'한 명이라도 제대로 높은 확률로 합격시키자.'라는 생각으로 지도하기에 커리큘럼 특성상 많은 학생들을 대상으로 지도가 어렵습니다. 그럼에도 제가 지도를 도운 학생들 대부분 이렇게 원하는 바 그대로, 합격하여 지도를 도운 입장에서 매우 뿌듯하고 자랑스럽습니다.

우리 학생은 중3 봄부터 시작해서 지금껏 믿음을 가져준 것이 자랑스럽고 고맙습니다. 우리 학생은 매우 차분하고 우수한 학생으로 학부모님이 블로그를 통해 저를 알게 되셨지만, 결국 학생 스스로 저와의 상담을 통해 확신을 갖고 본인이 함께 하는 것을 선택한 경우입니다.

(2) 진로탐색과 학교생활기록부 확인

일단 학업성적은 좋았지만 외고의 어문계열적 특징과 진로가 치하는 것이 아니었습니다. 문과, 미디어계열을 목표로 했고 중학교에서 수행한 관련 활동 자체가 적어 어필할 요소가 적었습니다. 독서나 기타 활동 등 외형적인 결과물도 적었기에 이대로라면 자기소개서, 면접에서 어필할 포인트가 부족할 것이 분명해 보였습니다.

(3) 자기주도적 활동 만들기

그래서 자기주도적 진로탐색활동을 진로와 함께 융합시키고자 역량을 보여줄 활동을 디자인했고, 그것을 바탕으로 어필할 수 있는 포인트를 만들었습니다.

이 때 '진로와 외고 진학의 당위성을 연결시키는 것'에 중점을 두었습니다. 이 과정에서 교과중심으로 단순히 기억되고 기재된 활동도 진로중심으로 총동원해 새로 구성해야 했기에 많은 시간과 노력이 들었습니다. 하지만 이런 노력이 헛되지 않아 이것이 바로 자기소개서에 잘 반영되어 쓰여졌고 준비한 그대로 면접에서 제 1

번 문제로 적중되어 나왔습니다.

그리고 2번 문제의 경우, 향후 학업계획과 진로에 관한 부분이었는데 이 부분 역시 확실히 컨셉을 잡아서, 보다 구체적으로 접근한 것이 큰 도움이 되었습니다. 진로 확장 및 심화사례 연구를 통해 미리 정리해두었고 앞으로의 정확한 활동계획과 주제로 외워두었습니다. 이것 역시 자기소개서에 기술되었고 면접에서 이 부분의 구체, 확장형 질의가 그대로 나와 적중했습니다.

공통질문은 준비하기 꽤 까다로웠습니다, 매년 주로 윤리, 가치판단과 논리성 확인에 관한 문제가 나오므로 실제 직전 년도에 나온 기출사례 들을 그대로 학습하여 대비하긴 어렵습니다.

하지만 다양한 딜레마 상황을 상정해서 어떤 식의 답을 해야 하는지 중점을 두고 준비하며 대비했고 면접의 답 또한 잘 하여 좋은 결과 얻게 되었습니다.

자사고, 외고, 국제고 합격비결

7. 자사고, 외고, 국제고 합격비결

- 자사고, 외고, 국제고 합격비결1 : 입시는 전문가와
- 자사고, 외고, 국제고 합격비결2 : 학습역량 통합확장
- 자사고, 외고, 국제고 합격비결3 : 진로로드맵 작성
- 자사고, 외고, 국제고 합격비결4 : 자기소개서 작성과 첨삭
- 자사고, 외고, 국제고 합격비결5 : 면접

자사고, 외고, 국제고 합격비결 1 : 입시는 전문가와

(1) 단과학원들의 합격생 광고가 큰 의미가 없는 이유

근처를 지나다 보면 영어학원, 수학학원 등지에서 외고, 국제고, 자사고 등에 합격한 원생을 홍보하는 광고를 많이들 보실 겁니다. 해당 과목의 실력이 이들 고교 합격과 직결되었다고들 생각 많이 하실 텐데요. 그렇지 않습니다.

과거에 자기주도전형을 봤지만 현재는 내신성적만을 반영하는

한일고, 공주사대부고 같은 학교 등은 현재 교과 내신으로 선발되므로 이 말이 맞을 수 있습니다. 그리고 분명 각 과목의 역량이 종합적인 학생의 우수성을 증명하는 것은 맞습니다.

하지만 자사고, 외고, 국제고 합격에 있어서, 해당 부분의 과목 역량은 당락에 큰 영향을 주지 못합니다. (윤성쌤 주 : 다만, 영재고, 과학고 등의 수학, 과학 역량을 필요로 하는 경우는 수학과 과학전문학원의 도움이 큽니다.)

용인외대부고 같은 최상위급의 자사고의 경우 1단계 합격을 위해 올A를 맞아야 하고 다른 학교들도 대부분 내신이 비슷한 학생들이 지원하므로 내신에서 차별성을 얻기 어렵습니다. 그래서 역설적이지만 교과성적이 당락에 영향을 거의 미치지 못합니다.

이들 학교의 경우 자기주도전형을 선발원칙으로 하고 있는데, 이 전형에 합격하기 위해서는 진로역량과 그와 관련된 학업역량, 공동체역량 등이 중요한 것이므로 이 역량의 측정은 각 단과학습과는 큰 관련이 없습니다.

(2) 오히려 단과학원의 개입은 잘못된 방향으로 이끌 수 있습니다.

지금까지 오랜 경험을 통해 자사고, 외고, 국제고의 입학뿐만 아니라 편입시험도 많이 도와서 좋은 결과를 많이 얻었습니다. 그래서 편입시험에 도전하려 문의주시는 학부모님, 학생도 많습니다.

그 중 상당수 학생은 중학교 3학년 때 자사고 등 신입학시험에서 떨어진 학생도 많습니다. 상담을 오면 '무엇이 잘못되었는지 모르겠다.' 며 지도 문의하며 과거 자기소개서를 보여주기도 합니다.

그 때 안타깝게도 치명적인 문제점이 발견됩니다. 우수한 학생들의 경우, 각 국어, 수학, 영어학원 등에서 '자기소개서 첨삭과 자사고 컨설팅을 한다.'며 봐주시곤 하는데 그 때 문제가 많이 생깁니다.

살펴보면 자기소개서 조언을 하면서 자신의 학원 역량을 드러내기 위해서 혹은 악의는 없지만 아시는 부분이 지도과목에 한정된 부분이기에 학원의 과목 학습법 중심으로 자기소개서 문항을 구성하거나, 논술학원조차 문맥에서만 맞춘, 글의 꾸밈에만 치중한 내용 없는 글로 첨삭 정리된 경우가 많습니다.

이런 자기소개서들을 보면 저는 자연스럽게 안타까운 마음이 들며 조심스럽게 과목명을 이야기하며 '이 과목 선생님이나 학원에서 첨삭이나 봐주신 것 아니냐.' 고 여쭤봅니다. 놀라시면서 거의 전부 그렇다고 하시는데, 실전 입시에서 사실 이 부분의 실책이 당락에 크게 영향을 미치며 매우 치명적입니다.

제 책을 보시는 분 중 학부모이거나 현직 교사분들, 학원선생님분들도 굉장히 많은 것으로 알고 있습니다. 그래서 관련 과목들을 지도받으시거나 지도하신다 하더라도 이 부분에 대한 접근은 굉장히 조심스럽게 하셔야 합니다.

(3) 진짜 입시 전문가, 자사고 컨설팅의 필요성

제가 지도한 학생들의 경우, 다니던 주변 학원가의 국어, 논술, 수학학원 선생님들의 추천을 받고 저에게 와서 합격이라는 좋은 결과를 얻은 경우도 많습니다.

당연히 논술학원 선생님 같은 경우 교육전문가이시니 직접 자기소개서 첨삭이나 면접 준비도 해주실 수도 있었겠죠. 하지만 이 부분, 자사고, 외고, 국제고 관련 부분에서는 더 나은 역량과 노하우를 제가 가진 것을 알기에 입시에 관해 메인으로 저를 컨설팅 선생님으로 추천해주신 겁니다.

저 역시 상담을 하며 영재고, 과학고의 경우 기본적인 학습역량은 관련 수학, 과학 전문학원이나 지도를 통해 채우는 것이 핵심이며, 저는 학생이 배운 내용을 바탕으로 확장, 심화학습을 유도하고 자기소개서, 면접을 위한 창의적 사고력 패키지를 준비해 준다고 솔직히 말씀드립니다.

지도를 하다보면 제 평판을 듣고 주변 영어, 수학, 과학, 논술학원 선생님들의 추천으로 오는 학생들이 매년 늘고 있습니다. 학생을 통해 이런 이야기를 들으면 이렇게 보내주시는 그 선생님이야말로 훌륭하고 실력있는 선생님이라고 말해줍니다.

전문가는 '절대적으로 잘하는 것과 하지 못하는 것을 철저히 구별'할 수 있으며, 또 그것이 사실이기 때문입니다.

횟수로 제가 컨설팅전문가로 올해 이제 10년이 넘어가는데, 사실 상담이나 쪽지를 받아보면 실제 현직에 계신 학교선생님, 학원선생님, 과외선생님 등 교육계 종사자분들이 굉장히 많으시고 입시상담도 많이 해드려서,

'오해받지 않고 이렇게 훌륭한 선생님들께 나름 지지받고 있구나.' 하는 생각을 많이 하고 더 책임감있게 지도합니다.

제가 아니라도, 목표가 자사고라면 반드시 전문가와 한 번쯤은 논의해야 합니다.

자사고, 외고, 국제고 합격비결 2 :
학습역량 통합확장

(1) 학습경험, 학업역량에 관해서

자기소개서 항목 중에서 '학습계획을 세우고 학습해 온 과정에 관한 부분'에 해당하며 면접에서도 그대로 좋은 질문 재료가 되어 줍니다. 짧지만 이 부분에서 앞으로 얼마나 자기주도학습을 잘하고 학교에 잘 적응할지, 학생의 통찰력, 종합적 사고력은 얼마나 될지 알 게 해주는 부분이기에 굉장히 중요합니다.

학부모님들이나 단과 중심의 학원에서 첨삭과 지도를 하며 가장 실수를 많이 하는 부분입니다. 이 때 너무 세부적이거나 너무 포괄적이어도 안 되기에 자기소개서 작성할 때나 면접 대비할 때 상당한 주의가 요구됩니다.

(2) 한 과목, 한 단원, 학습법에 치중해서는 안됩니다.

이 부분에서 주로 관심이 가거나 진로와 관련된 특정과목에 관한 내용을 장황하게 적거나 학습법을 적는 경우가 많은데 이렇게 해서는 좋은 평가를 받기 어렵습니다. 진로와 관련된 핵심 과목에 대해서 기술하는 것은 좋지만 그 내용을 어떻게 학습하고 천착해서 들어갔는지 그 과정을 기술하는 것이 정말 중요합니다.

중요한 것은 단편적인, 일반화된 학습요령이 아니라 이것을 자신에게 적용하여 앞으로의 진로역량, 학업역량을 어떻게 발전시킬 수 있을 지입니다.

(3) 자신만의 학습 경험과 노력의 과정

이 부분에서 한, 두가지 내용에 한정할 것이 아니라 단원간, 과목간 관련된 개념을 통합하거나 신선하고도 복합적으로 다른 접근방법에서 문제를 다시 돌아보는 역량을 보여주는 것이 입학사정관님, 서류평가 선생님들께 좋은 인상을 줄 수 있습니다.

즉, 이 부분은 단순히 공부법이나 공부한 과목의 단원내용 혹은 단순 지식을 묻는 것이 아닙니다. 보다 고차원적으로 개념들, 개념과 활용을 자신의 관점에서 어떻게 연결시킬까 묻는 문제입니다.

이를 통해서 사고와 발상의 뛰어남을 알 수 있고 창의성, 통찰력까지 파악할 수 있으므로 이 평가요소를 놓쳐서는 안되며 평상시에 미리미리 준비해야 합니다.

이 때 실제 학습과정에서 어려웠던 것, 시행착오를 진솔하게 나타내는 것이 좋습니다. 이 포인트에서 특히 중요한 것은 결과가 아닌 결과로 이끌어가는 과정입니다.

(4) 왜 학습역량이 성장하거나 표현하기 어려운가?

천재성은 정량화된 학업역량 그 자체보다는 '학습, 학업을 어떤 시각에서 통찰하고 개념을 연결하고 집중, 확장시켜 파악할 수 있는지' 와 관계되어 있습니다. 결론적으로 말씀드리면 '이 부분의 학습은 천재성을 자극하고 불어넣는 과정'이라 지엽적인 학습역량으로 보완하기 무척 어렵습니다.

물론 국, 영, 수 등 단과학습을 통해 기본적인 학업적인 소스와 능력을 갖추는 것은 중요합니다. 연결을 위한 기본 재료가 있어야 하기 때문입니다.

하지만 아무리 선행, 심화학습을 하더라도 그 자체로는 아무 의미가 없습니다. 자사고 입시는 단원학습 자체에 관한 정량적 평가 방식이 아닌, 자기주도전형으로 진행하고 선발하고 있으며, 이를 통해 단편적인 학습역량보다는 종합적인 학습역량을 평가하기 때문입니다.

이 때 좋은 평가를 받기 위해 해당 과목, 단원별 개념 등을 자유롭게 이어붙이고 접근법에 대한 자극을 주는 의미 있는 '학업역량 패키징작업'을 해야 합니다. 이 부분에서는 해당 교과역량을 넘어 종합적인 사고력, 통찰력을 요하기에 일반적인 단과중심의 학습으로 이를 충족하기 힘듭니다.

(5) 끊임없이 지적 자극을 주고 방향을 잡아 줘야 합니다.

이 부분을 우수한 학생들은 스스로의 역량으로 보완합니다. 문제는 이것이 쉬운 학생이 있고, 충분히 역량을 지니고 있지만 방법을 잘 몰라 못하는 학생이 있다는 것입니다.

후자의 학생들은 조금만 방법을 알려주고 같이 하나하나 지적인 자극을 불러 일으키면 전자의 학생과 같은 종합적 사고가 가능한 인재로 성장 가능합니다.

이 부분이 관련된 어떤 교육설명서에도 안 나오는 '좋은 교육 컨설턴트가 가지고 있는 핵심역량' 입니다.

이런 노력을 통해 기존의 학교, 학원에서 채워지지 않던 사고력의 폭을 넓히고 스스로 공부하는 것의 장점을 체득하게 되는 것입니다.

어디에서도 얻기 어려운, 이런 좋은 경험과 자산은 자사고 입시뿐만 아니라 학생의 앞으로의 고등교육 학습에도 적용되어 장기적으로 대입이나 진로 결정시 좋은 결과를 얻게 도와줍니다.

이것이 좋은 컨설턴트로부터는 이식받는 것이 가능하므로 자사고 컨설팅이 가치가 있는 것입니다.

자사고, 외고, 국제고 합격비결 3 : 진로로드맵 작성

(1) 진로 로드맵 작성의 중요성

약간의 차이가 있지만 현재 주요 자사고 전형은 자기주도전형입니다. 자기주도전형으로 선발하는 이유는 자기주도적 학습역량을 확인하고 학생과 진로탐색, 심화발전을 통해 좋은 인재를 키워나간다는 취지입니다. 그러므로 우선 학생이 진취적으로 세운 '어떤 인재가 되고자 하는지' 가 잘 담겨있어야 합니다.

만일 중학교 때의 과목별 학업역량만을 강조하고 그것이 자사고, 외고, 국제고의 선발기준이라면 학습계획, 진로목표 등의 항목이 자기소개서와 면접 질의에 있지 않을 것이고 학교마다 과목별로 시험을 봐서 선발해야겠죠.

하지만 그렇지 않습니다. 즉, 이런 자사고, 외고, 국제고, 과학고, 영재학교 등의 학교에 합격하려면 평소의 국어, 영어, 수학, 사회, 과학 교과 중심의 생각에서 좀 벗어나 학생의 진로 중심에서 생각해야 합니다.

(2) ‘진로’란 정확히 무엇인가?

진로를 흔히 직업과 착각하기도 합니다. 하지만 진로는 좀 더 유동적이며, 발전적인 측면을 강조합니다.

가령 ‘변호사’, ‘환경운동가’ 등이 직업이라면, ′환경에 관심이 많아 환경관련 법규와 관련 생화학적 특성을 연구하고 환경 관련 법규를 연구하고 싶다′ 이것이 바로 진로입니다.

한가지 예시이지만 직업적 목표가 아닌 미래지향적 비전에 초점을 둔 계획이 진정한 ‘진로계획’입니다. 그러므로 당연히 과정에서 노력과 스토리가 있을 수 밖에 없고 그 여정에서 학생의 차별화된 학습경험과 리더십 활동이 중요하게 됩니다.

(3) 진취적 사고

진로계획의 가장 큰 장점은 ‘진취적 사고를 갖췄는지, 확실한 목표와 동기를 가졌는지 알 수 있게 해준다.’는 것입니다. 이들 우수 학교들은 목표가 세워져 있는 학생, 계획이 노력을 통해 실제 상당

부분 구체화된 학생을 뽑을 수 밖에 없습니다.

고입 자기주도전형, 대입 학생부 종합전형 등 진로 기반 전형은 고입의 경우 대입합격률로, 대입의 경우 재학률, 학점, 취업률로 유용한 전형임이 계속 증명되고 있습니다.

(4) 진로로드맵 작성

진로로드맵은 진로설계, 구체화 노력과정, 진학후 생활계획, 향후 직업계획의 단계를 거쳐서 형성됩니다. 이 과정에서 공부할 부분, 진로에 관해 더 심화, 집중, 확장해야 할 부분을 학생과 같이 만들어 갑니다.

과거와 현재, 그리고 미래를 잇는 전 과정 흐름(flow)에 대한 깊이있는 통찰력이 요구됩니다. 또 학생이 잘하는 적성과 원하는 직업, 진로를 매칭시켜 진로로드화 시킬 수 있는 종합적 사고력이 요구됩니다.

이 과정에서 그 진로로드맵을 구체화시키고 역량을 드러낼 수 있는 진로컨셉주제를 발굴해야 합니다. 진로컨셉주제를 통해 현실화, 구체화 시키고 자기자신, 입학사정관선생님께 설득력있게 과거와 현재, 미래를 보여야 합니다.

자사고 합격비결 4 :
자기소개서 작성과 첨삭

(1) 자기소개서 작성시기

미리 준비하는 학생이 있고 좀 나중에 준비하는 스타일이 있습니다. 미리 준비하는 학생들은 반복해서 글을 볼 수 있지만 저는 학생들의 활동을 집중, 심화, 확장 시켜 쓸 소재와 주제를 최대한 확보한 후 그것을 자기소개서 첨삭과 면접 준비에 그대로 최대한 반영하는 편이라 좀 나중에 준비합니다.

혼자서 준비하는 학생들은 미리 반복적으로 확인해야 하니까 일찍 준비하는 것이 좋습니다. 컨설팅 받는 학생들은 컨설팅 하는 선생님이 믿을 만하다면 좀 더 천천히 믿고 맡길 수 있습니다.

단, 오랜 기간 준비하더라도 큰 줄기를 못 잡을 때 낭패를 볼 수 있습니다. 이 때는 이야기를 파편화시키지 말고 하나의 이미지로 그려내고 가감을 잘하면서 활동을 잘 정리해야 합니다. 즉 뼈대를 잘 세워야 합니다. 혼자서 준비하는 학생들이나 지도 강사의 역량이 부족할 경우 정리가 안 될 가능성이 크니 조심해야 하고, 내용 없이 문맥적 연결만 신경쓰면 안됩니다.

실제 이런 경우에 처하는 학생들이 굉장히 많습니다.

특히 '학교특강이나 학원에서 봐 준다' 고 해도 안심하면 안됩니다. 대부분의 학교특강, 학원에서 진행되는 자기소개서 과정은 완성을 위한 지도, 연습과정만 있고 최종 완성물까지 보장이 안 되는 경우도 많기에 유의해서 확인해 보셔야 합니다.

(2) 자기소개서 소재 확인

학습경험, 진학동기, 학습계획, 진로목표, 공동체 활동과정에 관한 내용을 확인해 봐야 합니다. 저는 경우에 따라 학교생활기록부의 활동도 많이 참고하고 가능한 첨삭할 때 학생의 경험으로부터 끌어냅니다.

사실 소재발굴 및 연결과정은 글로 표현하기도 어렵고 실제로도 상당히 어려운 기술입니다. 학생들의 중학교 활동과 자기주도 진로

학습이 매칭이 잘 안되는 경우도 많아 보편적 경험으로부터 특수한 경험을 도출해내야 합니다.

만일 너무 평범하면 학생과의 심화면담으로 살을 더 붙이고 완벽히 보완합니다. 특히 저는 평소 잘 드러나지 않는 학생의 잠재역량을 잘 발굴하고 기술하는 방식을 취하는데, 이렇게 하면 본인이 경험했던 부분이라 학생들의 만족도가 굉장히 크고 수행도도 좋습니다.

(3) 자기소개서 작성과 학생 역량

반드시 비례하는 것은 아닙니다. 물론 타고난 글솜씨를 기반으로 학생 스스로 잘 정리하는 경우도 있습니다. 하지만 충분히 좋은 실력을 갖추고 있지만 그것을 글이나 말로 표현하는 것이 서투른 학생도 많습니다.

이런 경우 도움이 전적으로 필요합니다. 자칫 혼자서 다루다가 막판에 정리가 안 되어 큰 낭패를 볼 수 있습니다. 이 자기소개서를 포함한 준비과정이 어려워서 포기하고 일반고에 간 이후 학교,

친구들 성향이 맞지 않아 후회한 사례도 굉장히 많습니다.
본인, 학부모님, 저 모두 안타까운 상황입니다. 그런데 이런 학생들이 확실한 실력을 갖춘 조언을 듣거나 컨설턴트를 만나면 일이 굉장히 쉽게 풀립니다.

뿌리도 좋고 튼튼한 나무지만 수형을 잡을 줄 몰라 지저분할 때 하는 '가지치기'를 생각하시면 이해가 쉽습니다. 전문가가 핵심뼈대를 잘 구분하여 잡아주고, 필요없는 주변을 멋지게 정리해주며 살릴 부분, 자를 부분 구분해 자르면 몰라보게 좋아지고 또 최상의 모습으로 보일 수 있습니다. 학생에게도 적용되며 이런 좋은 상태로 성공적인 자기소개서를 내게 됩니다.

(4) 자기소개서 첨삭사례

자사고, 외고, 국제고는 지원하는 상당수의 학생들이 전문컨설턴트, 학교선생님, 학원 등을 통해 첨삭을 받는다고 생각하시면 됩니다. 요즘은 학교 선생님들의 개입이 많지 않습니다. 첨삭도 많이들 해주셨는데 잘 안 해주시고 확인조차 해주시는 경우도 드물기에 유의해서 확인해보셔야 합니다.

아무래도 심정인 부담이 가는 민감한 문제이고 다른 학생과의 형평성에 관한 문제라서 신중해지신 것이라 생각합니다.

(5) 자기소개서 첨삭자

흔히들 많은 사람들로부터 확인받는 것이 좋다고 생각할 수도 있지만 그렇지 않습니다. 자칫 '사공이 많아 배가 산으로 가는 꼴이 될 수도 있기 때문입니다. 학생과 조력 강사 1명이 본 편을 완전히 첨삭해야 하고 다른 선생님이나 조언자는 확인 혹은 간단한 조언에 그쳐야 합니다.

특히 글로 어찌할지 구현해 줄 것도 아닌, 주변 조언자의 말 한마디에 흔들릴 필요도 없습니다. 또 생각하셔야 하는 것은 일단 첨삭을 부탁받으면 다른 첨삭자 역시 체면이 있어서 실질적인 개선책보다는 부정적 평가와 문제점 지적에 치중할 수도 있다는 것입니다. 자칫 흔들려서 어렵게 세워놓은 기준 틀이 흔들리면 더 혼란스러운 상황이 되어 정리가 더욱 어렵습니다.

그렇기 때문에 메인 첨삭선생님은 관련해서 최정상급의 실력을 갖추셔야 합니다. 그 분을 믿고 첨삭과 진단을 최우선으로 신뢰한다는 전제하에 진행해야 합니다.

자기소개서는 대외적으로 보이기 위한 글이며 평가가 전제되어 있기에 누군가에게든 첨삭을 받고 확인받아야 합니다. 자사고, 외고, 국제고 불합격 사례의 대부분이 자기소개서에서 나옵니다. 단순 문맥 연결 등 형식이 아닌 내용 중심, 개인의 경험으로 환산한 내용을 전문가에게 보여서 관련된 연결이 유기적이고 잘 쓰여졌는지 확인해야 합니다.

학생 진로가 아닌 첨삭자의 전공과목에 치중하면 큰 낭패를 봅니다. 실제로 논술, 국어, 수학, 영어 선생님의 첨삭, 조언을 듣고 자기소개서를 망치는 경우를 많이 봅니다. 문제는 자기소개서 뿐만 아니라 면접 역시 자기소개서를 확장하거나 심화하여 진행되는 경우가 많아서 자기소개서 첨삭 실패는 면접실패로 이어지고 불합격의 주요 요인이 된다는 것입니다.

첨삭은 설사 이론으로 안다고 해도 적용이 굉장히 어려운 부분이기에, 실제 구체적인 개선과 향상을 위해서는 전문가를 통한 직접 상담 및 지도가 이뤄져야 합니다.

자사고, 외고, 국제고 합격비결 5 :

면접

(1) 면접 준비 핵심 : 내용중심

물론 면접장 입실시 인사방식, 대답할 때의 습관 등 형식적인 것도 확인할 필요가 있습니다. 하지만 이런 것은 기본적으로 갖추어야 할 사항이며 면접 준비의 핵심은 아닙니다.

대입도 마찬가지지만 자사고 고입 면접에서 핵심은 서류 기반, 즉 학교생활기록부와 자기소개서이며 자기주도학습 과정, 진로 계획에 관한 것을 알아보기 위한 면접이라는 점입니다. 즉, 형식보다는 스스로가 무엇으로 채워져 있고 앞으로 어찌할 지 '내용'을 잘 담아 표현하는게 가장 중요합니다.

그렇기 때문에 스피치학원 등을 통한 면접 준비나 성인들 회사 입사에서 이뤄지는 면접 준비는 크게 도움이 되지 않습니다. 시험장에서 면접담당, 입학사정관 선생님들께서는 최대한 여러분들을 편하게 해주시려고 노력하실 것이고, 괜히 긴장해서 말을 못하고 표현을 못하실까 걱정해주실 겁니다.

즉, 일단 기본적인 형식을 간단히 숙지한 후에는 면접 준비시간의 대부분은 무엇을 어떤 구성으로 말할지, 그 '내용'을 채우는데 할애해야 합니다.

(2) 면접 준비의 핵심자료는 자기소개서

면접 준비의 핵심자료는 자기소개서입니다. 앞서 자기소개서의 중요성을 말씀드렸습니다. 자기소개서는 자기주도전형 고입에서 핵심이 됩니다. 그 자체로 진로의 방향을 밝혀주고 학생의 학업역량, 학습과정을 이야기해 주지만, 그것에서 더 나아가 그것을 바탕으로 입학사정관분들께서는 학생의 모습을 그려내고 진로 스펙트럼과 진로맵을 구체화하기 위한 면접 질의를 만들기 때문입니다.

물론 학교생활기록부 또한 중요 참고자료로 기능합니다. 하지만 실제로는 고등학교 학교생활기록부와는 달리 중학교 학교생활기록부에서는 기재가 진로역량보다는 교과 단원학습에 치중해 있어 전체적인 진로역량과 연관되는 부분을 발췌하거나 발굴하여 활용할 수 있습니다. 실제 지원시 가려지는 '도말 처리'부분도 있기에 간접적인 자료, 소명자료로 기여합니다.

(3) 학교, 친구를 통한 모의 면접을 할 지

'학교 모의면접이나 친구들과 그룹을 짜서 준비하는 모의면접을 하는 것이 좋을지' 도 많이 물어보십니다. 전문가 혹은 믿을 만한 조언자와 함께 구성과 내용을 잘 체크했다면 그 면접지도로 충분하며 따로 할 필요가 없다고 말합니다.

입시면접에서는 앞에 말씀드린 것처럼 내용적인 준비가 '주'가 되므로 일단 형식적인 면에서만 준비하는 것은 큰 도움이 되지 않습니다. 학교 모의면접이나 친구들과 준비하는 것은 대부분 예상문제를 뽑고 관련된 내용을 말하는 것을 봐주는 형식에 중점을 두고 진행됩니다.

선생님이나 상대 면접관(친구)들이 내용에 대한 준비가 안 되어 있어서, 실제로는 고치기 어려운 습관, 자세 등 개인적인 부분을 건드리는 네거티브 방식(단점에 초점)으로 진행됩니다. 이러면 준비를 하면 할수록 자칫 자신감, 자존감을 잃을 가능성이 높고 정작 중요한 내용에는 신경쓰지 못할 가능성도 있습니다. 설상가상으로 직전에 이럴 경우, 학생의 성격, 받아들임에 따라 자신감이 하락하여 큰 타격을 입을 수 있습니다.

(4) 면접을 위한 문장 구성고민의 중요성

또 흔히 말을 잘하지 못하는 학생들은 스피치 학원이라도 보내려 하시는 경우가 많은데 말을 잘 못하는 것은 언어적, 구개적 활용의 문제이기보다는 핵심키워드를 잘 끌어내지 못하는 문제인 경우가 많습니다.

면접에서 조리있게 잘 말하는 능력은 '키워드를 어떻게 짜고 그것을 문장화시켜서 기승전결로 나타내는가.' 와 관련이 깊습니다. 그렇기 때문에 질문 유형별로 적절한 문장구성 형식을 알려주고 그 틀에 맞춰 학습시킨 내용을 넣도록 지도해야 합니다.

말을 계속 반복해서 말을 잘 나오게 만드는 것보다 질문유형마다 어떤 구조로 이야기를 구성하고 표현하는 지를 지도해야 더 효율적이고 원하는 효과를 얻을 수 있습니다.

좋은 조언자 혹은 전문가와 면접 준비를 한다면 비효율없이 형식적인 면의 시간, 발화방식, 문장구조를 체크하면서 동시에 내용의 내실을 채워나가며 최적의 면접 준비를 할 수 있습니다.

(5) 면접은 개인면접 : 일대일 지도원칙

현재 각 자사고, 외고, 국제고 등의 자기주도전형의 면접은 대부분 개별면접문항과 그 답을 구하는 형태로 진행됩니다. 일반적인 대답 형식과 기본 매너 등에 관한 부분은 같이 준비할 수 있지만 학생들마다 진로, 학습경험, 앞으로의 계획 등이 모두 다르므로 개별적으로 일대일로 답변을 구상하고 준비하는 과정이 필수입니다.

일부 학원에서 면접을 대비할 때, 지망학교별로 묶어서 수업하고 그 중 아주 약간의 시간만 상담식으로 문항을 만들어 준다고 하는데, 앞서 말씀드린대로 이는 학생들에게 최적의 방식, 솔루션은 아니라고 생각합니다. 묶여서 준비하는 것은 시간낭비이자 독일 수 있습니다.

같이 준비하면 총 시간은 많더라도 할애시간이 줄어들게 됩니다. 무엇보다도 학생들의 진로가 같거나 유사하여 컨셉이라도 겹치면 답이 비슷해질 수 있고 당황하거나 답의 참신성이 떨어져 학생들이 실전 면접상황에서 낭패를 볼 수 있습니다.

(6) 실질적인 당락이 좌우되는 포인트? 학생 우수성

면접까지 진행될 경우 반드시 당락을 가려야 합니다. 당연히 경쟁은 치열해집니다. 오래, 제대로 준비한 학생들이 유리합니다. 어떠한 방식으로 묻던, 어떤 경쟁률이던 찰떡같이 최적으로 대답해서 다른 지원자보다 경쟁우위를 확보해야 합니다.

면접은 '학생 개개인의 우수성을 학교에 어필하여 학교에서 원하는 학생을 선발하는 최종적인 과정' 임을 기억해야 합니다.

학생 개개인의 우수성이 중요합니다.

자신만의 우수성을 입증하는데 최선의 노력을 기울여야 합니다. 반드시 합격시켜야 하는 컨설팅전문가에게 가장 중요한 것은 앞의 한 학생의 합격이며 어떻게 학생의 우수성과 매력을 키워주는가 하는 것입니다.

나오며 : 입시성공에 가장 중요하신 분 학부모님

나오며 : 입시성공에 가장 중요하신 분_ 학부모님

- 학부모님의 자사고 등 입시성공에 영향 : 제일 중요

학부모님이 왜 자녀 입시교육에서 중요한지 그 이유와 역량을 기르고, 도움을 받으실 수 있는 방법을 말씀드려 보겠습니다.

(1) 진로 설정의 조력자

학생들의 진로목표는 미래를 위한 중요한 기틀이 되지만 커다란 방향을 정하는 이정표의 역할을 합니다. 하지만 무조건 맡겨두기에는 학생들이 세운 목표는 추상적이거나 혹은 현실성이 떨어지죠. 요즘 학부모님은 생각하시는 진로목표를 무조건 밀어부치지 않고 학생들의 생각에서 현실성과 구체성을 더하는 방향으로 도와주십니다. 그 때 좋은 통찰력과 열려있는 생각이 학생의 결정과 이후 강사의 지도에도 정말 큰 도움이 됩니다.

(2) 교육기관의 최종 결정자

컨설턴트와 학원의 도움을 받을 경우, 학생들의 선호와 목표의식이 가장 중요한 교육과정 유지 요인이지만 학부모님께서 처음 시작을 할 것인지 여부를 최종적으로 결정해주십니다. 종종 학생들은 정말 오고 싶어하거나 객관적인 지표상으로 도움이 명백히 필요한데도 학부모님들께서 너무 신중하셔서 아쉬운 경우가 많습니다. 지도를 받을 것인지 여부를 최종 결정을 하시므로 무엇이 학생에게 도움이 될지 정확히 파악하고 결정지어주셔야 합니다.

특히 자사고 입시에서는 그 간의 실적, 규모도 물론 중요하지만 책임지도 강사선생님의 능력과 통찰력, 성실성이 조력에서 가장 중요한 부분이기에 확신이 서셨다면 망설임이 없으셔야 합니다.

(3) 과감한 투자자

과감한 투자자가 되어 주셔야 합니다. 왜 과감함이 중요할까요? 제가 경제학을 공부하면서 가장 영감을 많이 받은 개념으로 '지불용의' 개념이 있습니다. 경제학에서 '재화를 구입하려는 희망자가 재화를 구입하기 위해 기꺼이 지불하는 최고금액'을 의미하며 이 지불용의가 재화의 가격을 넘어설 때 비로소 거래가 이뤄집니다. 경매에서 단적으로 볼 수 있듯이 자본주의에서는 원칙적으로 희소한 자원에 대해 이 지불용의가 가장 높은 사람이 해당 재화를 가져갑니다. 굉장히 중요한 포인트입니다.

이 때 '재화'대신 '합격'이란 글자를 넣으면 바로 교육에 적용이 됩니다. 즉, 가장 많은 시간과 비용, 정성을 포함한 '지불용의'가 가장 높은 학생이 합격할 확률이 높아지거나 합격하게 되는 것입니다. 흔히들 '기회를 놓친다'고 합니다. 위험부담을 안고 과감히 실천하는 이들의 '지불용의'가 높습니다. 그래서 모든 경쟁에서 감당가능한 범위의 리스크를 안고 시간과 비용을 투자한 이가 유리하게 됩니다.

정말 다수의 치열한 경쟁 상황에서 학부모님과 학생의 우유부단함이나 결정 연기, 미결정은 정말 큰 타격이 있습니다. 누가봐도 간절한 이에게 기회와 성공은 돌아갑니다.

(4) 객관적인 판단자

각 교육 주체는 개별 주체별로 이익이 있습니다. 저 같은 입시 전문가는 목표 학교로의 합격을, 학교 선생님은 원만한 지도와 학사관리를, 학원 선생님들은 해당 단과부분의 성적을 목표로 합니다.

입시의 과정에서 각기 나오는 말과 시각, 접근이 다를 수 있고, 때로는 학생의 이익보다는 본인의 체면이나 자존심이 중요한 선생님, 강사들도 있습니다.

이 과정에서 학부모님께서는 명징한 통찰력을 통해서 무엇이 우리 학생에게 최선일지 생각하시고 결정하셔야 합니다. 합격을 위해서 때론 오래 함께 한 학원 선생님의 요청을 거부해야 할 순간도 있고, 컨설팅전문가와 구상한 방향으로 지도되도록 기존에 허던 다른 수업과정을 변경해야 하는 순간도 있습니다.

무엇이 우리 학생에게 가장 큰 도움이 될 지 각 교육주체의 의도와 한계는 무엇인지 어떤 방향으로 가야 할 지를 학부모님께서 순간순간 객관적인 입장에서 평가하고 결정해야 합니다.

(5) 지속적인 참여자

위에서 말씀드린 이러한 것이 충족된 학부모님의 경우 좋은 기틀이 마련된 것입니다. 그렇기 때문에 학생지도나 상담뿐만 아니라 전문적인 학부모님 상담을 통해서 교육전반에 걸쳐 상담하고, 학생의 학원문제, 학교내 성적관리, 교우관계 등 기타 제반활동에 대해 허심탄회하게 정보를 교류하고 지식과 지혜, 신뢰를 쌓는 것이 필요합니다.

부록 : '상위 20% 내 아이, 자사고, 외고, 국제고 보내기' 실전 도움 받으시는 방법

합격을 위해 책으로 입시에 대한 이해도를 높이시고, 학생 케이스에 따라 조언을 듣고 지도를 받으며 전문가인 교육컨설턴트와 함께 하는 것이 중요합니다.

'카이로스 입시전략' 최윤성 컨설턴트를 찾아주시기 바랍니다.

1) 블로그 : 교육정보모음_
교육컨설턴트 최윤성입니다.
https://blog.naver.com/soon1039

2) 직접 상담 문의(미리 연락처 후)

- 평촌 사무실 : 서울, 경기, 인천 포함 수도권 각 지역 상담가능합니다.
- 광명KTX역 사무실 : 지방 각 지역 및 광명 인근
- 연락처 : 010-8806-1039 로 연락이나 문자주세요.

3) 강연의뢰 및 협업신청(지자체, 학원, 도서관, 교육에이전시 등)

이메일신청 : soon1039@naver.com

4) 네이버 팬 밴드

책을 읽고 더 자세히 자사고, 외고, 국제고 관련 입시 방법에 대해서 알고 싶으시거나 소통하고 싶으신 분들께서는 팬 밴드에 가입해주세요. 가급적 자주 소통하겠습니다.

'카이로스 입시전략' https://band.us/band/93892646